D1001586

LE COMPTOIR DE JUDA

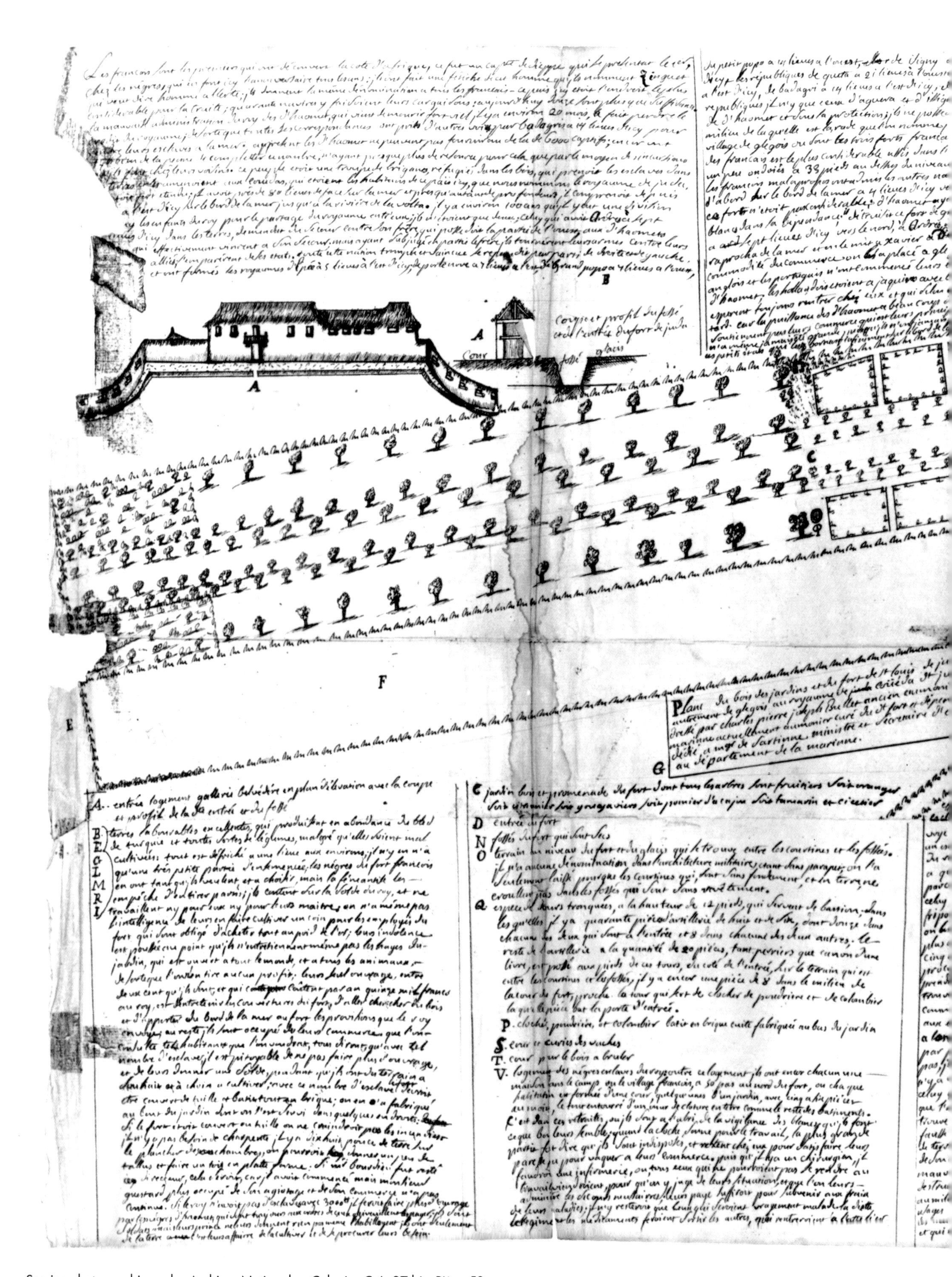
A
B
C
E
F
G
Cour
fossé
glacis
Coupe et profil du fossé
et de l'entrée du fort de juda

Service photographique des Archives Nationales. Colonies C 6, 27 bis, Pièce 58.

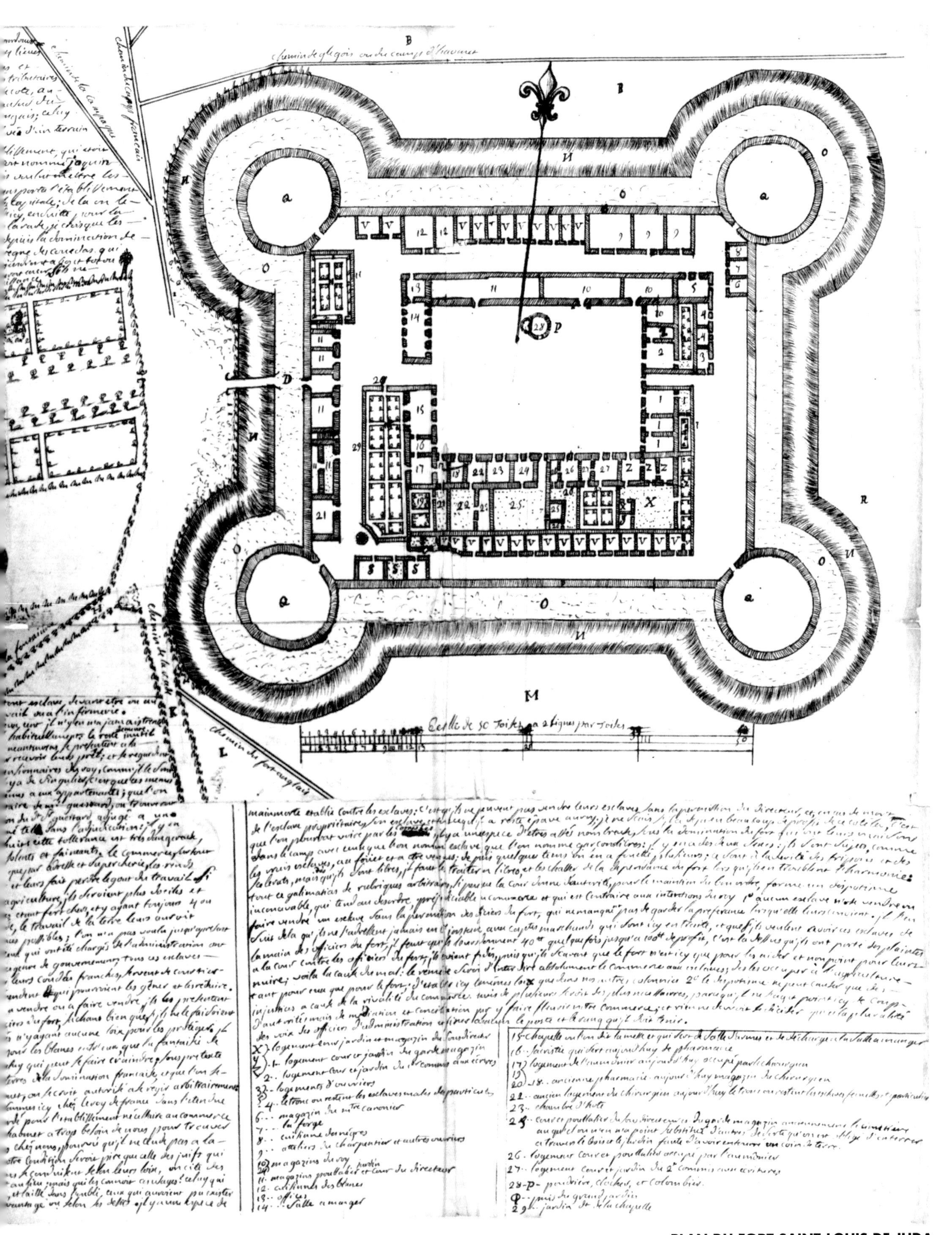

PLAN DU FORT SAINT-LOUIS DE JUDA PAR L'ABBÉ BULLET, 1776

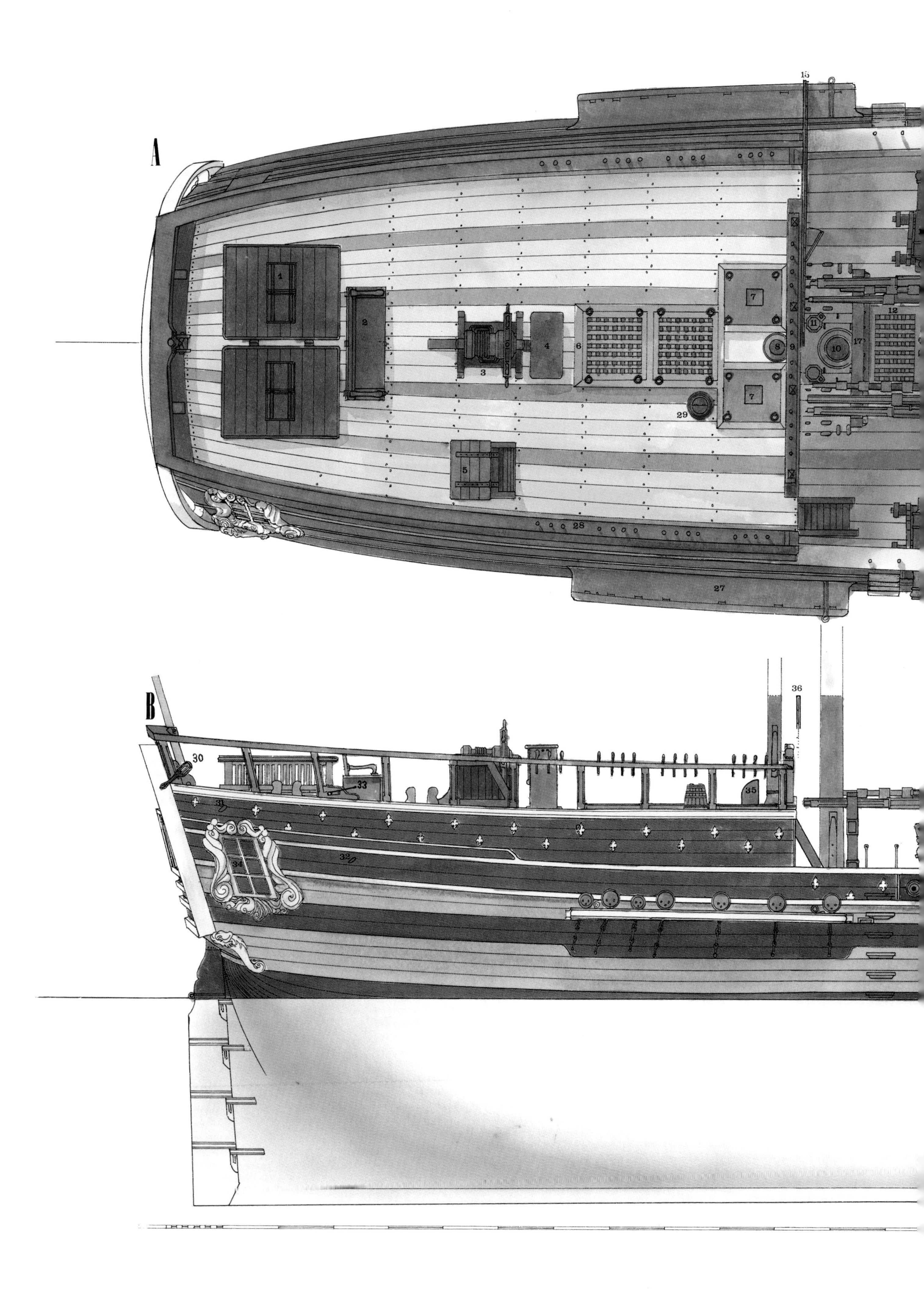
A
B
1
2
3
4
5
6
7
8
9
10
11
12
15
17
27
28
29
30
31
32
33
34
35
36

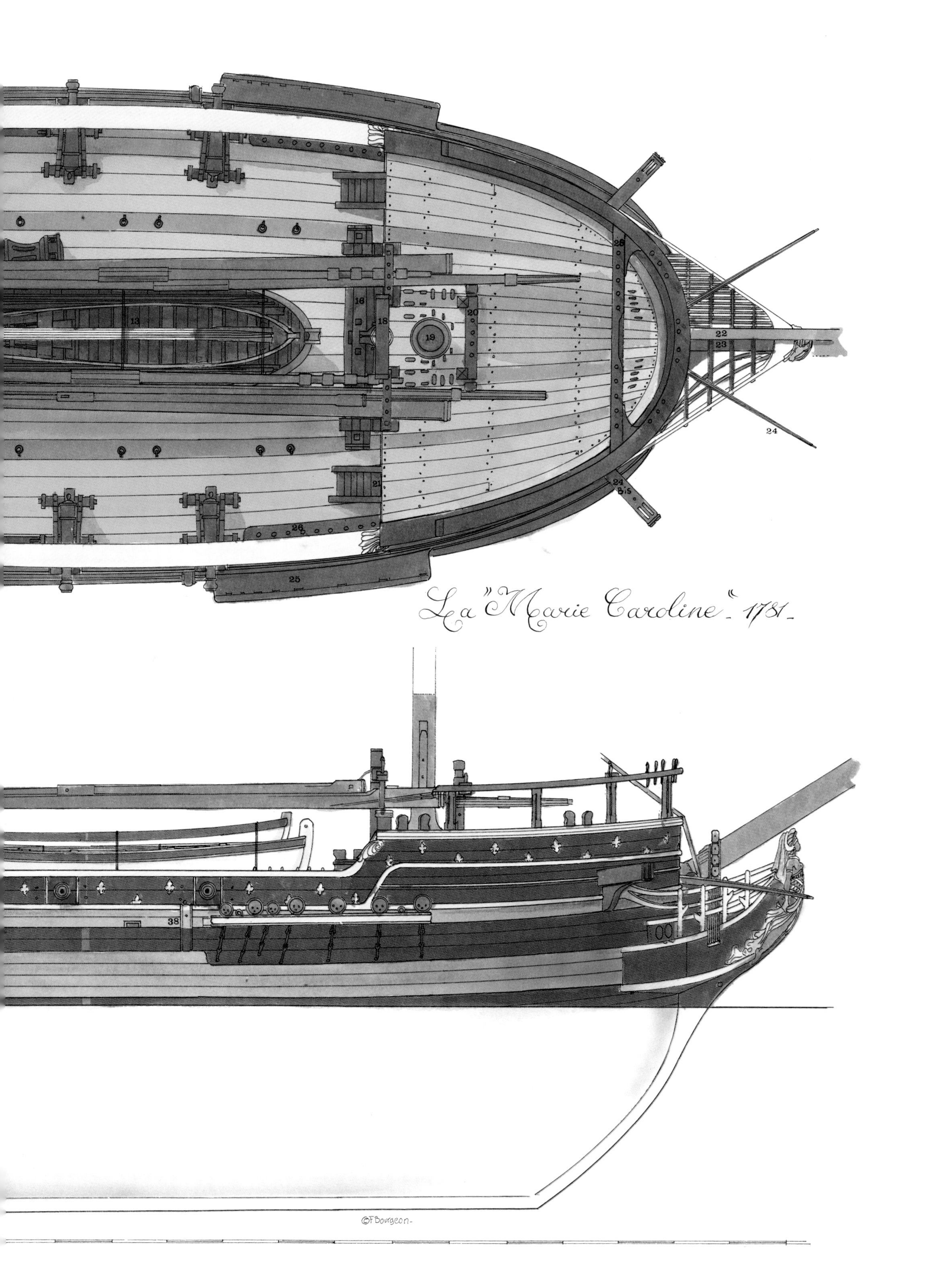
13
16
18
19
20
21
22
23
24
24 Bis
25
26
28
38
La "Marie Caroline" 1781
©FBourgeon

C
D
1 mètre

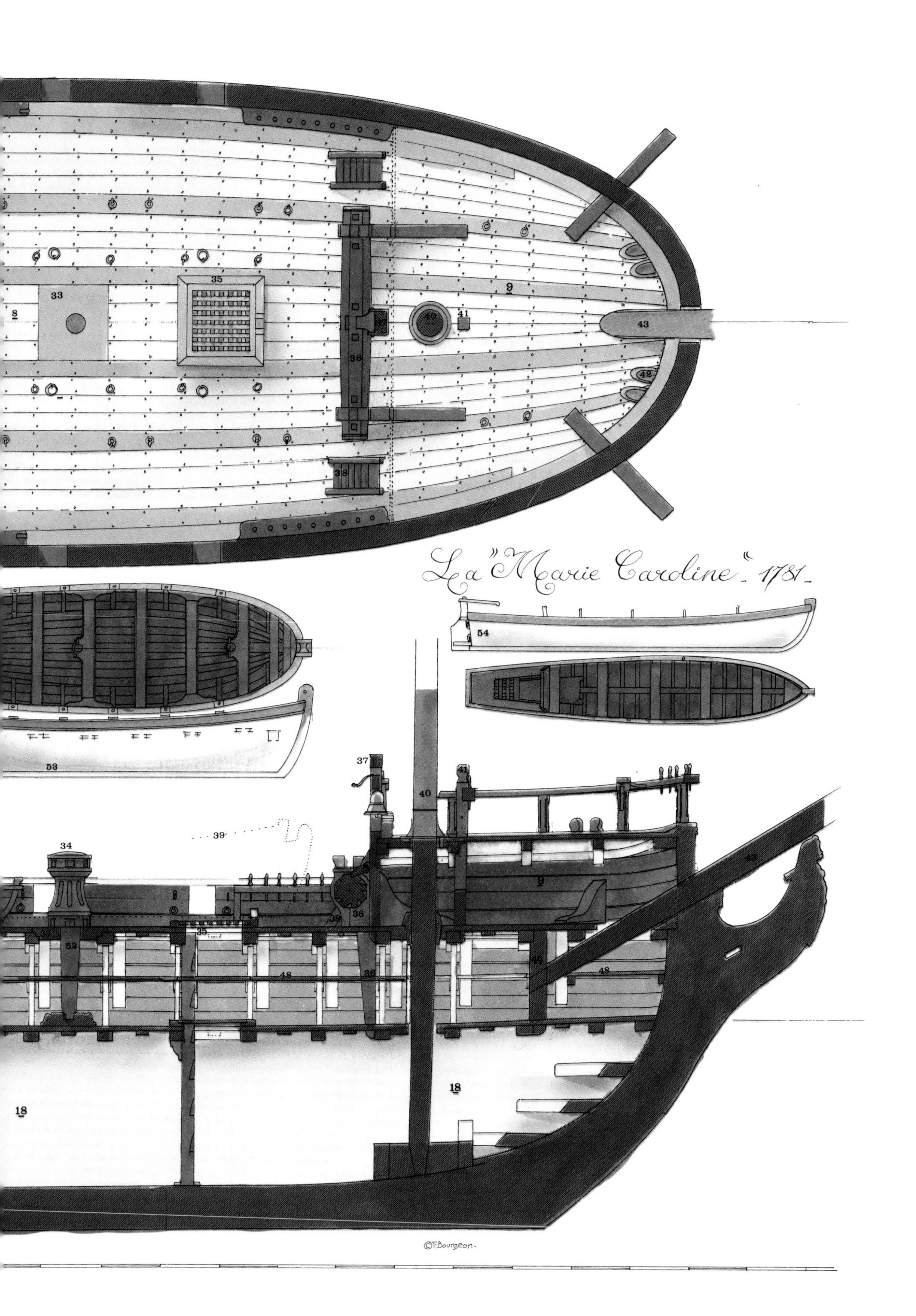
La "Marie Caroline" 1781
8
9
33
35
36
37
38
40
41
42
43
53
54
34
39
40
41
37
9
43
32
52
35
38
36
49
48
48
36
18
18
©T. Bourgeon.

La Marie Caroline -1781-

Vous trouverez ci-dessous les légendes des coupes et plans présentés en début d'ouvrage.
Sans les précieux conseils de monsieur Jean Boudriot, sans l'aide de ses traités d'archéologie navale, il eut été impossible de tenter cet essai de reconstitution. Qu'il en soit donc remercié, lui, et tous ceux qui n'ont pas hésité à sacrifier un peu de leur temps pour faciliter ce travail.

Plans A et B

1 Cage à poules
2 Banc de quart
3 Roue du gouvernail
4 Habitacle du compas
5 Capot de la grande échelle
6 Panneaux du gaillard d'arrière
7 Cheminées des cuisines
8 Mât de senau
9 Râtelier pour cabillots
10 Grand mât
11 Pompes
12 Grand panneau
13 Embarcations et drome
14 Canon de 4 (Un autre modèle a été retenu)
15 Rambarde (Representée à babord seulement.)
16 Guindeau
17 Potence de drome - Bitton de grand hunier
18 Cloche du bord
19 Mât de misaine
20 Bitton de petit hunier
21 Escalier du gaillard d'avant
22 Beaupré (representé sur babord)
23 Courbe de capucine
24 Minot - 24 bis Bossoir
25 Porte-haubans de misaine
26 Râtelier de cabillots
27 Grand porte-haubans
28 Cabillots
29 Charnier
30 Poulie pour le retour du bras de grand-vergue
31 Cheville pour le dormant du bras de g-vergue
32 Cheville pour l'écoute de grand-voile
33 Galoche à réa pour l'écoute de grand voile
34 Fausse fenêtre
35 Cheminées des cuisines
36 Limite superieure de la rambarde
37 Chaumard pour l'écoute de misaine
38 Placard à réa pour l'amure de grand-voile

Plans C et D

a) Grands chiffres soulignés

1 Grande chambre
2 Chambre du capitaine commandant
3 Chambre de l'officier en second
4 Chambre transformée pour les passagers
5 Chambre d'officier
6 " "
7 Espace des cuisines et de la maistrance
8 Emplacement de la chaloupe
9 Espace reservé à l'equipage
10 Couroir
11 Parc aux femmes (et enfants)
12 Soute aux voiles
13 Parc aux hommes
14 Soute aux poudres
15 Soute à pain
16 Soutes aux fèves
17 Soutes au riz
18 Grande cale (cale à eau.)

b) Petits chiffres

1 Emplacement de la table pliante
2 Caissons amovibles
3 Placards
4 Encoignures cintrées
5 Lit en alcôve
6 Petite armoire de l'alcôve
7 Bureau
8 Penderie
9 Lit en alcôve
10 Bureau
11 Lit en alcôve pour couple de passagers
12 Petite armoire de l'alcôve
13 Garde-robe
14 Grande échelle
15 Caisson reservé au pilote
16 Planche amovible
17 Porte d'accès à la grande échelle
18 Capot de la grande échelle
19 Panneau de la soute aux voiles
20 Armoire des drosses du gouvernail
21 Panneau d'accès au parc et aux soutes
22 Cuisine des esclaves
23 Cuisine de l'équipage
24 Carlingue du mât de senau
25 Mât de senau
26 Carlingue du grand-mât
27 Pompes
28 Grand-mât
29 Caquets
30 Bitton de grand hunier - Potence de drome
31 Echelle d'accès au gaillard d'arrière.
32 Grand panneau
33 Etambrai du cabestan de rade
34 Cabestan de rade
35 Petit panneau
36 Guindeau
37 Cloche du bord
38 Echelle d'accès au gaillard d'avant
39 Emplacement de la chaloupe
40 Mât de misaine
41 Bitton de petit hunier
42 Ecubiers
43 Mât de beaupré
44 Gouvernail
45 Timon (barre)
46 Mortaise de la barre de secours
47 Pouliot à deux rouets
48 Echafaud pour diviser l'entrepont
49 Flasque de beaupré
50 Epontille
51 Epontille à marches
52 Mèche du cabestan
53 Chaloupe
54 Yole du capitaine.

BOURGEON

LES PASSAGERS DU VENT

LE COMPTOIR DE JUDA

casterman

François Bourgeon chez Casterman

LES PASSAGERS DU VENT

1 - LA FILLE SOUS LA DUNETTE
2 - LE PONTON
3 - LE COMPTOIR DE JUDA
4 - L'HEURE DU SERPENT
5 - LE BOIS D'ÉBÈNE

LES COMPAGNONS DU CRÉPUSCULE

1 - LE SORTILÈGE DU BOIS DES BRUMES
2 - LES YEUX D'ÉTAIN DE LA VILLE GLAUQUE
3 - LE DERNIER CHANT DES MALATERRE

EN COLLABORATION AVEC CLAUDE LACROIX
LE CYCLE DE CYANN

1 - LA SOURCE ET LA SONDE
2 - SIX SAISONS SUR ILO
*** LA CLÉ DES CONFINS**

ISBN 2-203-38863-3
Imprimé en Belgique par Casterman, S. A., Tournai. Dépôt légal : AVRIL1994 ; D. 1994/0053/91.

BLIMEY !!!
Moi, je croyais c'était une ligne inimaginaire !
Ballotés depuis près d'un an de vaisseaux en prisons, de prisons en pontons, de pontons en navires, ceux dont nous essayons de vous retracer l'histoire, n'ont touché le sol de France que pour devoir de nouveau le fuir sur le premier bateau venu*. La "Marie-Caroline", négrier nantais, lève l'ancre le 8 Avril. Le 5 mai elle croise les Canaries. Quelques jours plus tard le capitaine Boisboeuf rassemble l'équipage...

Non, Madame !... Le tropique du cancer existe bel et bien !
... et il ne reste plus qu'à coincer le cheveu devant la lentille pour que l'observateur croie...

HO ! DU NAVIRE HO !

Qui êtes-vous ? D'où venez-vous ? Où allez-vous ?

* Voir "Les Passagers du Vent" 1 et 2.

Je suis le capitaine Boisboeuf. Voici mes passagers et mon équipage... Nous menons notre senau au golfe de Guinée pour charger son entrepont de bons et solides esclaves !
As-tu beaucoup de gens qui n'aient jamais traversé mon empire ?...
Douze, Bonhomme-Tropique !... Mais ils consentent tous à être baptisés !
À la bonne heure !... Prenez toujours ça en attendant que j'y descende !
Aspirant-volontaire François Vignebelle, promets-tu aussi de ne jamais voler la femme d'un marin ? ...
Oui !
AMEN !

"... Le 1er juin, nous doublons le cap Monte. Désormais, nous longeons la côte. Au cap Laho, le capitaine achète un peu d'or et un morfil*. Le 14 juin, nous mouillons l'ancre à Chama pour y prendre de l'eau, du bois et aussi du..."

Laisse un peu ton journal et viens voir!

Boisboeuf a loué deux pirogues et dix-sept piroguiers pour nous faire passer la barre de Juda*. Les pirogues sont à la remorque avec la plupart des piroguiers, mais les chefs, ils sont à bord !

Ils sont beaux hein?
Oh toi!... Le jour où tu trouveras un garçon moche, c'est pas la tête qui lui manquera!
Tu as pas l'air content?.. C'est... c'est Hoel il t'a dit quelque chose ?...
Non pas! Mais de la hune où j'aime monter, on voit très bien ce qui se passe sur le pont...
Faut pas dramatiquer, tu sais!... Dans les pays chauds, une petit baiser, c'est juste un truc pour se rafraîchir le gosier...

Ben, si tu as besoin de te rafraîchir le cul, demande de l'eau douce au capitaine ! On vient tout juste de faire le plein !
AÏE!

Et d'escale en escale...
São Jorge da mina! Fondée par les Portugais, il y a trois cents ans, cette orgueilleuse forteresse est tombée en 1637 aux mains des Hollandais. Les négociants de Bahia doivent désormais déposer ici un dizième de leur cargaison de tabac pour être autorisés à entamer la campagne de traite...
Les nègres de la côte-des-esclaves sont devenus si friands de ce vilain tabac que je vais devoir m'en procurer quelque trois cents rôles pour aider mon négoce !
Du tabac contre des vies humaines... Quelle dérision !...
Je ne vous le fais pas dire!... Croyez-moi! Un esclave est mieux traité aux îles qu'un homme libre ne l'est en Afrique !

*Morfil : dent d'éléphant non traitée. *Juda : actuelle Ouidah

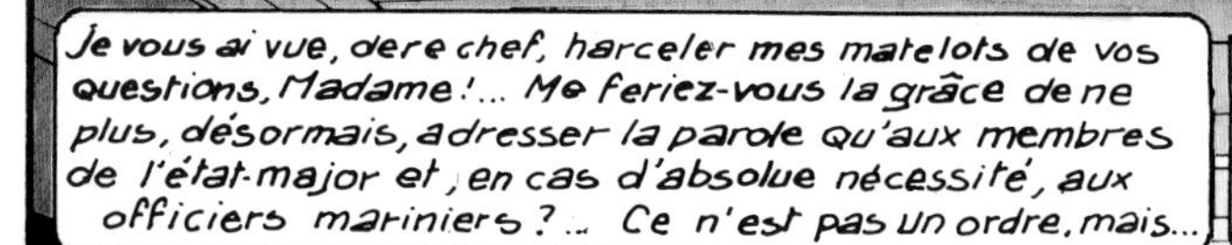
Je vous ai vue, derechef, harceler mes matelots de vos questions, Madame !... Me feriez-vous la grâce de ne plus, désormais, adresser la parole qu'aux membres de l'état-major et, en cas d'absolue nécessité, aux officiers mariniers ?... Ce n'est pas un ordre, mais...

Est-ce donc si grand crime que de chercher à savoir ce que pensent vos gens de l'abominable métier que vous leur faites faire ?
Ce qui est grave, Madame, c'est de semer le doute dans des esprits faibles que la nature ne prédispose que trop, déjà, à la révolte !

Le capitaine Malinet a raison ! Nos marins risquent leur vie pour permettre aux colons d'enrichir le Royaume. Ils n'ont que faire des élucubrations de quelques sages nantis, qui attendent d'avoir fait fortune dans le "bois d'ébène" pour trouver brusquement ce commerce immoral.

Il faudrait envoyer tous ces rêveurs faire le travail de leurs chers nègres !

Le niveau du plafond de cette pièce limite, sans doute, l'élévation de vos pensées, Monsieur Bernadin !... C'est par milliers que nous arrachons, chaque année, hommes, femmes et enfants à leur terre et à leur famille, afin qu'ils arrosent de sueur et de sang des produits dont nous n'avons peut-être même pas besoin...

Tenez ce langage à nos matelots, Madame, Ils vous riront au nez !... Combien de jours de sa vie un marin passe-t-il à l'ombre de son clocher ? Combien de fois entre-t-il dans le lit de sa femme ?... Que sait-il de ses enfants ?... Quel esclave travaille plus que lui, alternant des nuits de quatre et huit heures de sommeil ?

Hum !... Vos idées sont nobles, Isabeau !... Mais l'origine de l'esclavage se perd dans la nuit des temps. Les tribus guerrières ont toujours asservi l'ennemi vaincu. Bien avant nous, les barbaresques avaient converti en commerce cette ancienne coutume, et l'arrivée des Européens n'a fait que déplacer sur le littoral un marché autrefois ouvert sur le Sahara !... Pensez-vous réellement pouvoir changer une des plus dures, peut-être, mais des plus anciennes lois de la vie ?...

Qu'y a-t-il de plus dur, de plus injuste et surtout de plus inéluctable que la mort, Monsieur le chirurgien ?... N'avez-vous pourtant pas choisi de la combattre chaque jour de votre vie ?... Je vous salue, Messieurs !

Tu t'y prends mal, Isa ! Si tu veux pouvoir rédiger le témoignage que Saint-Quentin vous demande*, il faut que tu cesses de provoquer ton monde !... Que l'on se méfie de toi, et l'on ne te laissera plus rien observer !

Et voilà bien des femmes !... Elles vous dévoilent le fond de leur âme, alors que l'on n'aspire qu'à connaître celui de leur nature !
Ne soyez pas vulgaire, Monsieur le premier lieutenant !... Notre aspirant-volontaire est en train de prendre la couleur de l'uniforme qu'il désespère de jamais pouvoir porter !

Vous désespérez ... Pauvre enfant ! ... Vous avez tort, mon garçon !... On finira peut-être par admettre les roturiers dans les officiers rouges !... En attendant, vous pourrez toujours cirer les souliers de ces Messieurs...

Allez !... Vous regretterez votre petit séjour dans la marine marchande ! À ce bord vous ne servez peut-être à rien, mais dans le "Grand Corps" vous servirez à n'importe quoi !

Avec votre permission, Monsieur le capitaine, j'aimerais me retirer !

Faites François, faites !... Le jeune âge a besoin de sommeil.

Bonsoir, Louis !
Bonsoir, mon ami ! ... Heu !... Bernadin ! Restez un instant, je vous prie ! J'aurais à vous entretenir...

François Vignebelle est avec nous pour se former le caractère et apprendre le métier. Vous êtes en droit de le traiter rudement, mais je ne crois pas souhaitable que vous le moquiez à l'excès.

Autre chose !... Je ne tolérerai plus la moindre remarque désobligeante sur n'importe lequel des passagers dont nous sommes responsables. J'espère avoir été compris !... Bonsoir Monsieur !

5

* Voir "Le Ponton"

Si seulement je nourrissais quelque espoir de voir ces pauvres notes utilisées efficacement par les abolitionnistes, j'aurais moins de mal à lutter contre le sommeil...

OH!...Tu t'en FOUS!...

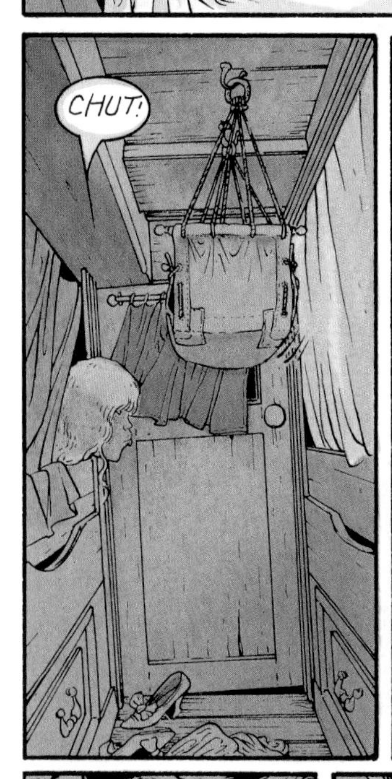
CHUT!

Je ne m'en fous pas, Isa!... je n'y crois pas, c'est tout! Qui voulez-vous faire pleurer sur le sort des esclaves?... Le peuple?... Il a déjà bien assez de sa propre misère, va! Les nobles?... Ils sont indifférents aux pauvres drilles qui crèvent de faim aux portes mêmes de leurs châteaux, alors...! Veux-tu que je te dise?... Pour tous ces gens-là, l'Afrique... ça n'existe même pas!

Les uns sont aveugles de naissance et les autres refusent d'ouvrir les yeux. Qu'adviendra-t-il si ceux qui voient clair s'interdisent de prendre la barre à l'approche de la tempête?... Le monde appartient à tous ceux qui y vivent, Hoël! Bon gré, mal gré, les profiteurs devront, un jour, se rendre à cette évidence!

Tu rêves, petite fille!... Tu rêves!
Si tu acceptes de partager mes nuits, tu dois aussi accepter de partager mes rêves!

Et toc!... Ça est bien envoyé, mais pas beaucoup très honnête, non?!...

Dis donc, toi! On ne t'a pas sonnée pour nous tenir la chandelle, que je sache!
Dommage! Mais si tu gueules comme ça, tu vas réveiller ma baby!

BLAM! BLAM! BLAM! BLAM! BLAM!
OUINNN...
Mais quoi se passe encore là-haut?!... On coule?... On prend feu?!... J'en ai marre, moi, de votre petite navire!

Le lundi 2 Juillet , aux premières lueurs de l'aube, la "Marie-Caroline" vient s'ancrer en rade de Juda...
Quelques heures plus tard...
D'abord, le fort Saint-Louis de Grégoy !... Plus loin, fort William !... Enfin, un peu à l'écart, le fort San João de Ajuda !
Comment se peut-il que deux nations en guerre fassent, sans incident, flotter leurs pavillons à une portée de fusil l'un de l'autre ?...
Ici l'on est avant tout blanc ou noir... Riche ou pauvre... Libre ou esclave !... Vous serez peut-être étonnée d'apprendre qu'à Juda, Anglais, Français et Portugais soupent deux ou trois fois par mois à la même table ...

Ce qui ne les empêche pas d'intriguer pour essayer de se discréditer mutuellement auprès du roi.
Le roi réside à Juda ?...
Le roi Kpëngla séjourne à Abomey, à quelques jours de marche de la côte.

Sorte de demi-dieu d'une religion animiste, il n'a traditionnellement pas le droit de voir la mer. Aussi, se fait-il représenter ici par un des grands cabécères : Yovogan.

Yovogan, ça veut dire : "chef-des-blancs". Vous voyez ça, un peu !... Eh bien, cette espèce de mal blanchi, on peut rien faire sans son accord !... Et son accord... il le fait payer cher !

C'est l'heure de vérité, Mesdames ! Va falloir embarquer dans la pirogue de ces peaux-de-boudin !

Ouh... Ça glisse trop fort cette truc-là ! ...

Bougez pas, ma p'tite dame !... Je m'en vas vous transborder !

Et voilà !... Les requins savent pas c'qu'ils perdent !

Quoi c'est, les tonneaux que vous jetez à l'eau ?..
Des marchandises légères. Le courant les pousse à la côte.

Tenez-vous bien, Mesdames !... On va passer les trois barres...

Ohhh ! mais c'est fou, ça !...

Attention !... On arrive en travers !

Gagnez vite la terre ferme avant que la prochaine lame ne vous submerge, Mesdames. Faut pas traîner !

Quelque dieu bien disposé à ton endroit chercherait-il à préserver ton envers du feu que tu y laisses complaisamment couver ?
Oh toi !... Tu es rien qu'à dire des conneries...

Par une mer à peine plus forte, j'ai vu trois hommes se noyer à la suite d'un incident aussi bénin !... je vais faire débarquer votre malle, afin que vous puissiez vous changer, Madame.

Je vais conduire nos passagers au fort, Honoré. Je vous laisse louer aux hommes de Yovogan la cabane où nous entreposerons provisoirement les marchandises. Une fois vidés, n'oubliez pas de faire disposer les tonneaux pour recevoir l'eau de pluie... Et attention au chapardage !...

Peu après...

J'ai peur de manquer du lait pour ma baby. La directeur du fort pouvra-t-il me trouver une nourrice ?...
Olivier de Montaguère est le plus dévoué des hommes... quand on a de quoi récompenser ses services !
Monsieur Rousselot a hélas raison ! Les onze Français de Saint-Louis ne sont pas trop scrupuleux. Loin de faciliter le travail de ses compatriotes, Montaguère ne songe qu'à enrichir son gendre, Sénat, négrier pour la maison Romberg et Bapst de Bordeaux...

Ils ont leur propre rabatteur. Un métis nommé Joseph Le Beau.

Pis que ça, Mesdames ! C'est un libertin qui vit dans le péché avec Sophie, une mulâtresse qui lui a pondu trois bambins comme du chanvre goudronné.

Je vous raconterais bien ce qui se dit à propos de certaines soirées...

Hum ! Humm...

Mais le capitaine m'en ferait reproche !

Ouais !.. Ben si ces cochons ils viennent tourner autour mes jupons, ils verront à qui ils ont affaire !...
C'est bien ce que je crains !

Hum !... Voici Caraçon !... Là vivent, en famille, quelques guerriers de Yovogan, censés prêter main-forte en cas d'incursion Popo. Encore deux lagunes à traverser et nous sommes à Grégoy*.

En effet, peu de temps après...
Aouan n'a pas menti ! L'austère Boisboeuf nous porte sur un plat du gibier de pays !
Alors, Viaroux ?... La brune ou la rousse ?...
Si m'en croyez, Messieurs, des deux, j'aurai les faveurs.

*Grégoy : ancien village du royaume de Juda. (actuellement Ouidah.)

Pari tenu, mon cher !
J'en suis, Messieurs ! J'en suis !...

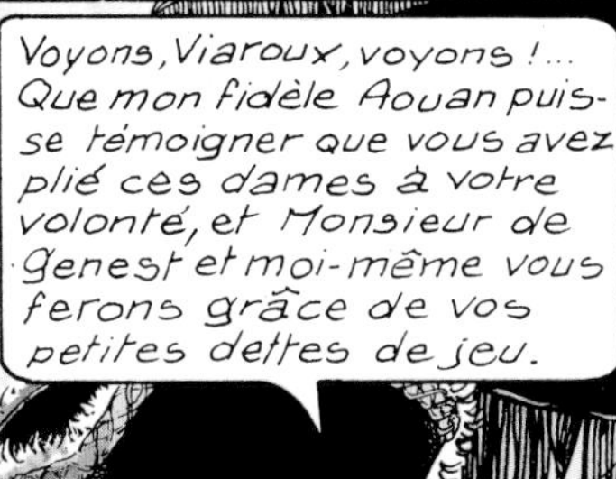
Voyons, Viaroux, voyons !... Que mon fidèle Aouan puisse témoigner que vous avez plié ces dames à votre volonté, et Monsieur de Genest et moi-même vous ferons grâce de vos petites dettes de jeu.

Mais gare !... Si d'une façon ou d'une autre, des plaintes sont, par votre faute, envoyées au Roi. Bien loin de vous tenir quitte, nous doublerons votre débit. À bon entendeur... !

Ah, cher capitaine !... Quelle joie de vous retrouver ! Et en quelle compagnie, mon Dieu !... D'un bout de l'Afrique à l'autre, il n'est question que de vous, Mesdames
Permettez-moi de vous présenter nos hôtes : Olivier de Montaguère est le directeur du fort, Louis-Paul de Genest, son bras droit, Estienne de Viaroux, le teneur de livres.

Nous allons vous désigner vos chambres, que vous puissiez vous reposer.

... Et la nuit, n'oubliez surtout pas de fermer les moustiquaires.

Je vous envie, cher Monsieur. Vous avez là une femme tout à fait ravissante !

Savez-vous que pour l'épouser, j'ai dû tuer en duel sept de ses prétendants ?
A la bonne heure ! Nous pourrons ferrailler ensemble. Je suis ancien maître d'armes et n'ai ici aucune fine lame avec qui m'exercer.

Te voilà bien avancé, Monsieur mon soi-disant mari !... Sois prudent Hoel ! Je suis mieux armée que toi pour moucher ce genre de godelureau.

Cependant...
Soyez sans crainte, Madame! Avant demain, nous vous aurons trouvé une nourrice qui rendra votre petite aussi solide qu'une négresse!
Mais, ne vous alarmez pas! Elle restera blanche et jolie...

On la nourrirait bien au lait de vache sans que les cornes lui en poussent!... HA! HA! HA! HA! HA!

HA!...Ha... Hum!...

Bien!... Heu... Ce soir, Monsieur de Montaguère organise une petite fête en votre honneur. La cloche sonnera le souper vers sept heures. Je vais vous envoyer une esclave pour repasser les effets que vous sortirez de vos coffres. Donnez-lui votre linge à laver...!

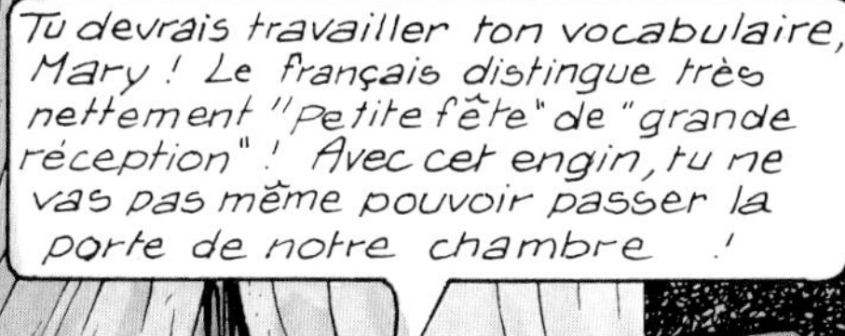
Tu devrais travailler ton vocabulaire, Mary! Le français distingue très nettement "Petite fête" de "grande réception"! Avec cet engin, tu ne vas pas même pouvoir passer la porte de notre chambre!

Ça se plie, triste sire! On dirait que tu n'as jamais déshabillé que des filles de rien!...

"Des filles de rien"?... Quel charmant pléonasme!

Toi, tu deviens con! Et la bêtise, c'est pire que la méchanceté!

Depuis que nous avons quitté la France, je n'ai pas eu une seule fois l'occasion de mettre une jolie robe, dans ce fichu bateau!... Sois gentil!... Ne gâche pas mon plaisir avec ta bête jalousie!

Le soir venu...

Reposez-vous donc un peu, Capitaine ! Joseph peut vous négocier un bureau d'échange au meilleur prix.
Vous êtes trop bon, Monsieur. Mais Yovogan pourrait bien prendre ombrage de ne pas recevoir ma visite ...
Ici, des ananas, là, des papayes, et ces choses rondes sont des oranges. Mais, peut-être en avez-vous déjà goûté ?...
Non pas Monsieur !

Allons donc ! Je suis persuadé que votre jardin abrite des fruits merveilleux.

C'est moi je choisis le jardinier !...

...Le climat, qui pourrit les corps, empoisonne les âmes. Et, comme ne sont envoyés ici que des fonctionnaires... disons... hum... "indésirables", Juda est une antichambre de l'enfer !

Savez-vous qu'il m'est interdit de tenter d'évangéliser les nègres ?!... Cela mécontenterait le roi du Dahomey et nuirait, me dit-on, au commerce.

Alors, cher ami !... Vous fuyez les sermons de l'abbé Forissier ?...

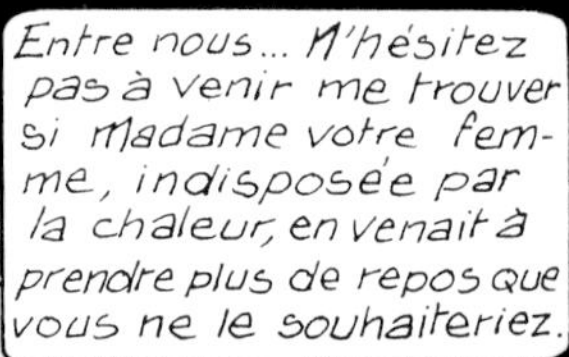
Entre nous... N'hésitez pas à venir me trouver si Madame votre femme, indisposée par la chaleur, en venait à prendre plus de repos que vous ne le souhaiteriez.

Il y a ici quelques vilains nègres qui, pour un flacon d'eau-de-vie, ne craignent pas de vous prêter la plus aimante de leurs compagnes. Quant à nos petites esclaves, leur dévouement...
Bonsoir, Monsieur !
La prochaine fois, essaye de sourire si tu ne veux pas être vendue aux blancs des grandes pirogues !

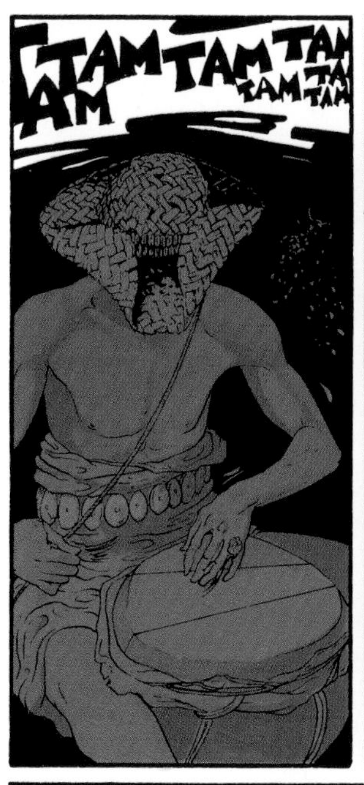
TAM TAM TAM TAM TAM TAM TAM TAM

Non seulement nous ne sommes gardés que par des noirs, mais en plus, il faut qu'ils tambourinent toute la nuit ! Charmant pays !
Ils font cela pour ne pas s'endormir entre deux rondes. Cela devrait te rassurer !... L'abbé Forissier m'a parlé de ces acquérats.

Tu ne vois pas qu'une nuit, comme ça, il leur prenne envie de nous égorger !... Juste pour rire ! Brrrr...
Il y a peu de chances, Hoel. Les acquérats ont une situation relativement privilégiée, ici. "Esclaves de la compagnie du roi de France", ils échappent aux Dahoméens et ne peuvent être vendus aux négriers, sauf en cas de faute grave. Certains sont, paraît-il, volontaires et possèdent eux-mêmes quelques esclaves.

Estienne de Viaroux doit me faire visiter Grégoy demain. Tu nous accompagnes ?

Plutôt, oui !... Je n'aime pas du tout la façon dont il te parle, non plus qu'à Mary !
Tu penses au souper ? Nous avions tous un peu bu, ce n'était pas bien méchant !

Il n'était pas méchant non plus ton frère, le jour où, ayant pareillement un peu bu, il a invité ses copains à te ramoner le vestibule !...*

CLAC

J'ai sans doute eu tort de te rappeler tout cela, mais surveille tes gestes, Isa !... Moi aussi, la chaleur me porte sur les nerfs !

Ouais !... Ben, il est temps d'aller se réfugier sous la moustiquaire et de prendre des forces pour demain.
Pour Viaroux, tu as raison ! Nous devrons tous nous méfier de ce type !
15

*Voir : La fille sous la dunette.

... La tam-tam !... Les crillements des bêtes ! C'est terrible ! Je n'ai pas fermé les œils de toute la nuit.

Vous allez voir !.. Une nourrice superbe !... Une femelle de tout premier choix !

N'hésitez pas à la brusquer un peu ! Quand on leur retire leur enfant, les négresses se laissent facilement languir . . . Après tout, ces bougres-là éprouvent quand même quelques sentiments humains ...

But... That's horrible !... You're a monster !!!

Veuillez pardonner le cri du cœur d'une jeune mère, Monsieur ! Mais, permettez-moi de vous rappeler que le "Code Noir" * interdit de séparer une femme de son enfant impubère !
J'ai cru bien faire en n'imposant pas à Madame la présence du négrillon. Mais, puisque je vois que j'ai affaire à des âmes charitables, n'en parlons plus ! Nous allons lui rendre son bébé sans plus attendre.

Vous êtes bouleversée, Mary...
Je crois je commence à comprendre quoi Isa elle veut dire...

En tout cas, Genest est furieux. Il espérait, sans doute, revendre le gosse à son profit...
C'est seulement à cause la monnaie que vous êtes mis vous en colère ?...

Je n'en suis pas à ma première campagne, Mary. Le soleil qui ride la peau dessèche encore bien plus le cœur.
Prenez un parasol, Monsieur ! Nous resterons peut-être amis !...

* Code Noir : Ordonnance de 1687 définissant le statut juridique de l'Esclave.

Vous devriez profiter de mon parasol, Madame... Ah! Voici le temple des serpents. Il abrite les pythons sacrés... Vous n'avez pas peur?...
J'ai grand-peur... pour votre vie! Mon époux pourrait se rendre compte que vous ne perdez pas une occasion de me saisir le bras ou la taille...
Alors capitaine?... Votre bureau d'échange se met en place?...
Vous le voyez... Nous avons loué cette case! Encore quelques cadeaux à envoyer au roi et aux différents chefs, et la traite pourra véritablement commencer...
Me laisserez-vous le plus petit espoir de vous rencontrer seule?...
Pas le moindre, Monsieur! Mon mari est perpétuellement accroché à mes jupons.
Durant cette période, le capitaine Malinet fera aménager les parcs à esclaves dans l'entre-pont de la "Marie-Caroline" et dresser à l'arrière la rambarde de protection...
N'insistez pas, Monsieur. C'est beaucoup trop périlleux!
...Les esclaves seront gardés au fort et n'embarqueront qu'au moment de lever l'ancre!
Ce brave Boisboeuf! Un tantinet rigide, non?... Savez-vous comment le nomment les indigènes? "Yovo aouignan". Le blanc-caillou!... Amusant, n'est-ce pas?...

Nous voici en plein marché. Tout ce grouillement... J'espère que vous n'êtes pas incommodée par l'odeur ?
Rassurez-vous, Monsieur! Votre parfum est bien un peu violent mais on finit par ne plus y penser!
Je... je parlais de l'odeur du nègre...! Mais vous avez raison, on s'y fait.
Oh!... Monsieur Viaroux!... Ne pourriez-vous pas me marchander un de ces grands chapeaux?...
Quoi!!! Mais une dame comme vous ne peut pas porter un chapeau de sauvage!...
Soyez gentil!... Je n'aime pas m'encombrer d'un parasol et ma gorge est mal protégée sous mon trop modeste couvre-chef.
Je vous avais prévenue... On se moque de vous!... Vous nous ridiculisez!
Et s'il me plaît, à moi, de traverser une allée bordée de sourires?!...
Ce chapeau a un autre avantage... Il évite toute promiscuité avec les fâcheux!
Petite garce! Tu ne perds rien pour attendre! Deux mille livres d'enjeu, cela me donne toutes les patiences.

Plusieurs jours ont passé...

Alors Viaroux ?... On ne parle plus guère de vos amourettes ?...

Justement Monsieur... Laissez-moi un peu de temps. Ne pourrait-on demander à Yovogan de ne pas trop approvisionner Boisbœuf durant quelques jours ?...
La chose se fera d'elle-même. La "Marie-Caroline" est seule ancrée à Juda. Yovogan n'aime pas être victime de la loi de l'offre et de la demande.

Vous achoppez toujours à la même pierre, mon pauvre ami ! Laissez donc un peu mûrir le fruit brun et allez semer dans le jardin d'automne. La porte en semble moins bien gardée...

Ah ! Vous avez aussi remarqué... Ces Anglais ne sont bien qu'entre eux. Le nôtre passe de plus en plus de temps au fort William.
Eh bien ! Qu'attendez-vous ?... Allez consoler la rouquine et trouvez, ce faisant, un moyen pour éloigner ce Monsieur Tragan qui vous fait si peur !

C'est comme je dis, Isa ! Il dépense tout notre argent au jeu, il boit de plus en plus, tous les soirs il part pour fort William. Ce n'est plus le John j'ai connu. Le jeune et beau officier de Chatham.

Il regrette la England. Il ne pardonne pas lui d'avoir devenu déserteur. Petit à petit, il fait dans sa tête Enora et moi responsables. Il ne me regarde même plus... Je crois je lui fais horreur !...
Ne dramatise pas Mary ! Moi aussi j'ai déserté, et je n'en veux à personne !

Tu ne peux pas comprendre, Hoel. Tu n'es pas, comme John, un vrai gentleman...

Eh bien, maintenant, j'ai compris ! Je ne suis pas de votre monde. C'est ça ?!... Je suis un homme de deuxième ordre, une petite chose sans importance, difficile à classer entre l'aristocrate et l'esclave !

Parfaitement, Hoel ! Tu es ça ! Tu es exactement ça ! Et tu seras toujours ça tant que les peuples n'auront pas enfin compris que le plus misérable d'entre les noirs a incontestablement le même droit à la vie que le plus puissant des monarques !

SHUT UP !... Shut up, please ! Moi je demande vous m'aidiez, et vous philosophitiquez !

Fais pas ce tête, Hoel !... Tu sais très bien que je n'ai pas voulu dire quoi tu penses !
Allez, Mary, viens donc profiter des derniers rayons de soleil.

Hum... Dis-moi, nounou !... Quel nom tu lui donnes à ta petite boule de suie, là ?...

M'ouais !... Ben, si tu veux mon avis, infortunée frangine : Le paradis sur terre, ça peut p'têtre se concevoir, mais faudrait quand même que chacun y mette un peu du sien !...

C'est vrai, quoi !... Est-ce-que j'ai une gueule à croquer les marmots, moi ?
C'est ce blanc-là patron ?

Celui-là, Sognigbé !... Mais pas de blague ! Tu demandes juste à ton espèce de sorcier une petite drogue pour le rendre indisponible quelques jours... Pas question de me l'occire, hein !?...

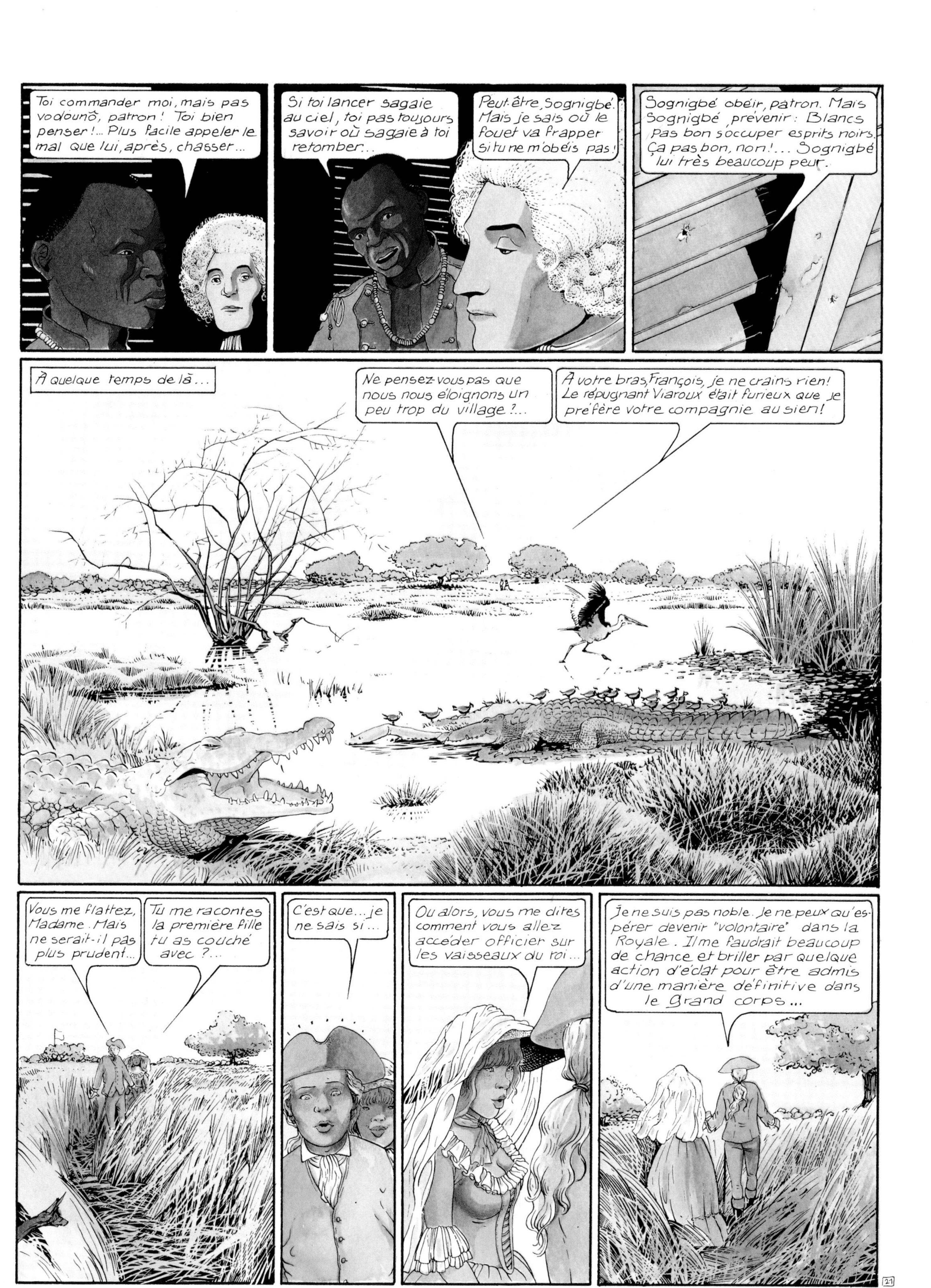
Toi commander moi, mais pas vodounõ, patron ! Toi bien penser !... Plus facile appeler le mal que lui, après, chasser...
Si toi lancer sagaie au ciel, toi pas toujours savoir où sagaie à toi retomber...
Peut-être, Sognigbé. Mais je sais où le fouet va frapper si tu ne m'obéis pas !
Sognigbé obéir, patron. Mais Sognigbé prévenir : Blancs pas bon s'occuper esprits noirs. Ça pas bon, non !... Sognigbé lui très beaucoup peur.
À quelque temps de là...
Ne pensez-vous pas que nous nous éloignons un peu trop du village ?...
À votre bras, François, je ne crains rien ! Le répugnant Viaroux était furieux que je préfère votre compagnie au sien !
Vous me flattez, Madame. Mais ne serait-il pas plus prudent...
Tu me racontes la première fille tu as couché avec ?...
C'est que... je ne sais si...
Ou alors, vous me dites comment vous allez accéder officier sur les vaisseaux du roi...
Je ne suis pas noble. Je ne peux qu'espérer devenir "volontaire" dans la Royale. Il me faudrait beaucoup de chance et briller par quelque action d'éclat pour être admis d'une manière définitive dans le Grand corps...
21

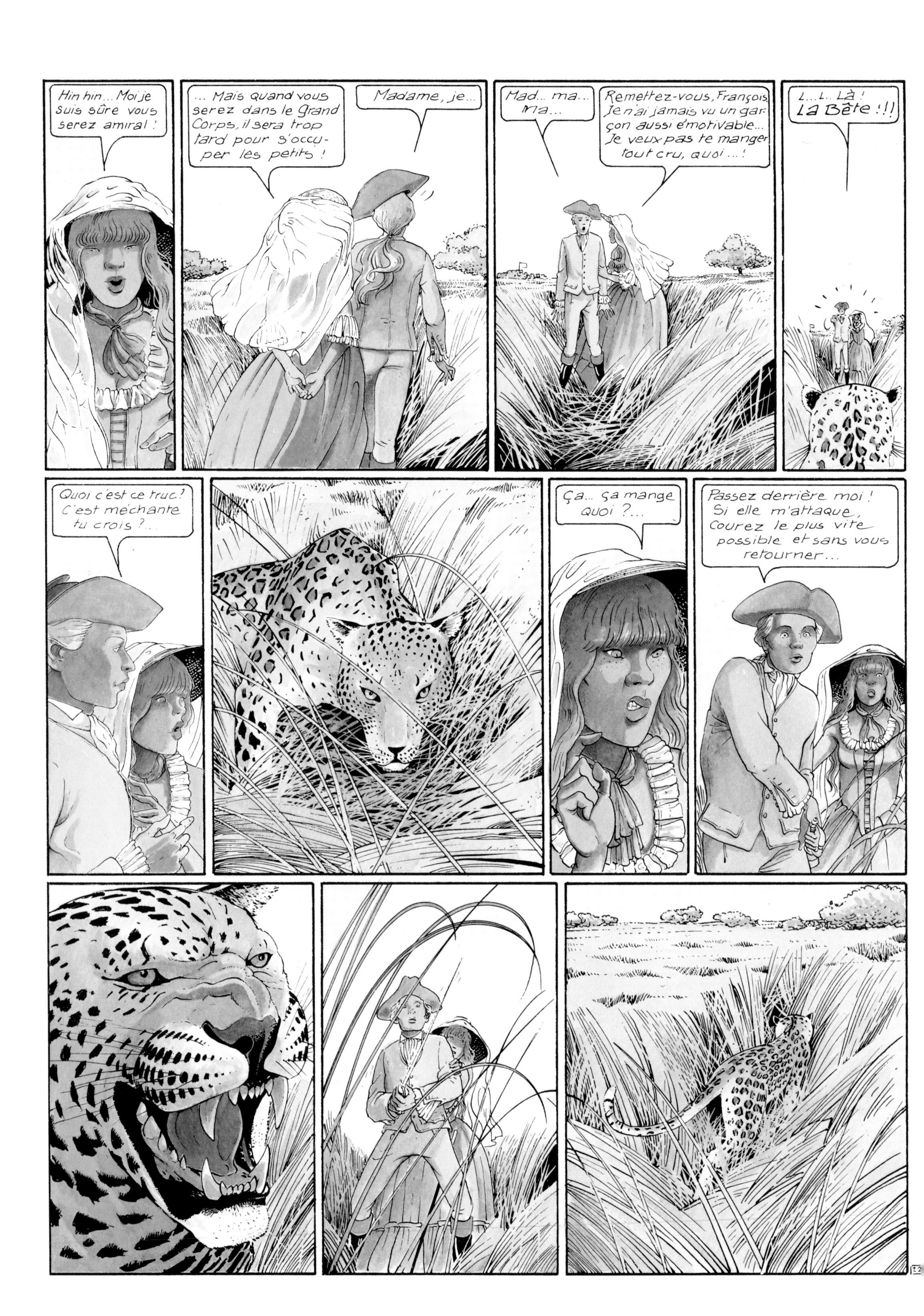
Hin hin... Moi je suis sûre vous serez amiral !
... Mais quand vous serez dans le Grand Corps, il sera trop tard pour s'occuper les petits !
Madame, je...
Mad... ma... ma...
Remettez-vous, François, Je n'ai jamais vu un garçon aussi émotivable... Je veux pas te manger tout cru, quoi ... !
L... L.. Là ! La Bête !!!
Quoi c'est ce truc ? C'est méchante tu crois ?...
Ça... ça mange quoi ?...
Passez derrière moi ! Si elle m'attaque, Courez le plus vite possible et sans vous retourner...

Elle est partie !
Ça fait lontemps je n'avais pas eu peur comme cela !...
Bom! Bom!... Mon coeur il bat comme le tambour !
Tenez... Vous sentez ?..
Pas très bien...! L'épaisseur de l'étoffe...
Suis-je bête !..
Vous êtes ici, Madame !... Vous nous avez fait peur. Nous vous avons entendue crier.
La voix porte loin en Afrique... Vous ne nous auriez pas suivis, au moins ?
Monsieur, je vous interdis de...
Keep cool, please!... Nous avions bien crié, en effet. Mais vous arrivez et trop tard... et trop tôt...
23

Nous avons rencontré une gros chat jaune à pois, mais mon jeune ami il l'a mis en fuite.
Dites plutôt qu'il a dû nous entendre accourir !... Je vous en conjure, Madame, ne sortez plus du camp sans une solide escorte !
Il m'est insupportable d'imaginer votre pauvre petit corps entre les griffes d'un fauve !
Et moi, il m'est insupportable d'imaginer ma pauvre petit corps aux prises avec votre imagination !... Venez François, nous rentrons.
Vous nous accompagnez ?... Nous allons observer comment Rousselot et le capitaine s'y prennent pour marchander les esclaves qu'on leur amène.
Pas question, Isa !... On vient déjà dehors. Nous avons rencontré une bête terrifique, jaune et noir ! J'en ai encore les jambes tout flageolet ! Viaroux nous a dit elle était très féroce et gourmande !
Tu parles ! Il dit ça pour se rendre intéressant ! Les grandes bêtes jaunes et noires, j'ai vu ça dans un livre. Ça s'appelle des girafes et c'est gentil comme tout !
Elle ne le quitte plus, Mary, son François Vignebelle... Elle n'aime vraiment pas la solitude, ta copine !
Le jour où je m'intéresserai de près aux passades de Mary, tu seras avisé de mettre une certaine distance entre mon pied et ton séant !
24

Peu après...
On ne va pas s'ennuyer à bord de la "Marie-Caroline" à ce qu'il paraît...
Un bon conseil, Latrogne !... Triez sur le volet les marins que vous enverrez engrosser les femelles ! Le capitaine ne veut pas entendre parler de la moindre liaison sentimentale. Sécurité oblige !
Allons, reste tranquille. Je ne fais que regarder !
Les deux pièces d'Inde* sont très saines. La négrite est intacte. L'une des femmes pourrait bien être enceinte, mais elle a une très vilaine filaire !
Vous l'en débarrasserez !... Je vais demander le lot pour quarante-cinq onces* !
C'est vraiment ce métier-là que vous avez choisi de faire ?...
Écoutez, Isa ! Écrivez votre mémoire et foutez-moi la paix !
Savez-vous ce que deviendrait la "Marie-Caroline" si je refusais de guider le capitaine dans ses achats et le laissais embarquer des esclaves malades ?... Un cercueil flottant !
Personne ne vous demande d'assister au marquage, Isa. Serez-vous capable de m'épargner vos habituels reproches ?...
Je vous promets d'être sage.
Ça vous excite, ça, hein ?! La chair fraîche qui grésille !... Quel délicieux frisson !
*Pièce d'Inde = esclave mâle
*1 once = monnaie fictive = 16 livres de France, environ.

Comment se fait-il que Mary manque un spectacle aussi stimulant ? Le jeune Vignebelle lui aurait-il proposé un jeu plus propre à éveiller ses sens ?

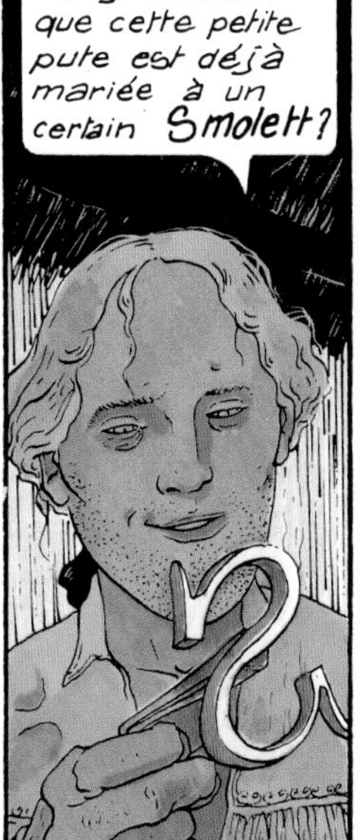
Ou ignorerait-il que cette petite pute est déjà mariée à un certain Smolett ?

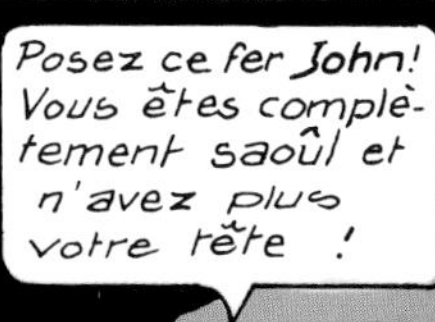
Posez ce fer John ! Vous êtes complètement saoûl et n'avez plus votre tête !

Retenez-le !!!

AHRRRR

Il s'en retourne à fort William, dirait-on !
Qu'il y reste !... Il commence vraiment à me faire peur !

En tout cas, après ce qu'il vient de se passer, Mary devra se méfier de lui, et ne jamais le laisser seul avec Énora. L'alcool le rend fou !
Mais... où est donc Hoel ?...

OH!

Il était mal depuis hier au soir, me dites-vous ?... Mais vous auriez dû m'en avertir !

Est-il vrai que trois marins soient déjà gagnés par la fièvre jaune ?...
"Noir pour blanc, blanc pour noir !"... Le vieil adage négrier se vérifie bien souvent !

Mais pour Hoel, ne vous torturez pas l'esprit ! Ce n'est sans doute pas grand-chose.

Je vais de ce pas informer Mary du lamentable incident dont John fut responsable. Je lui demanderai de vous confier sa nourrice afin que notre malade ne reste pas seul...

Elle n'aura qu'à lui verser à boire chaque fois qu'il le demande.

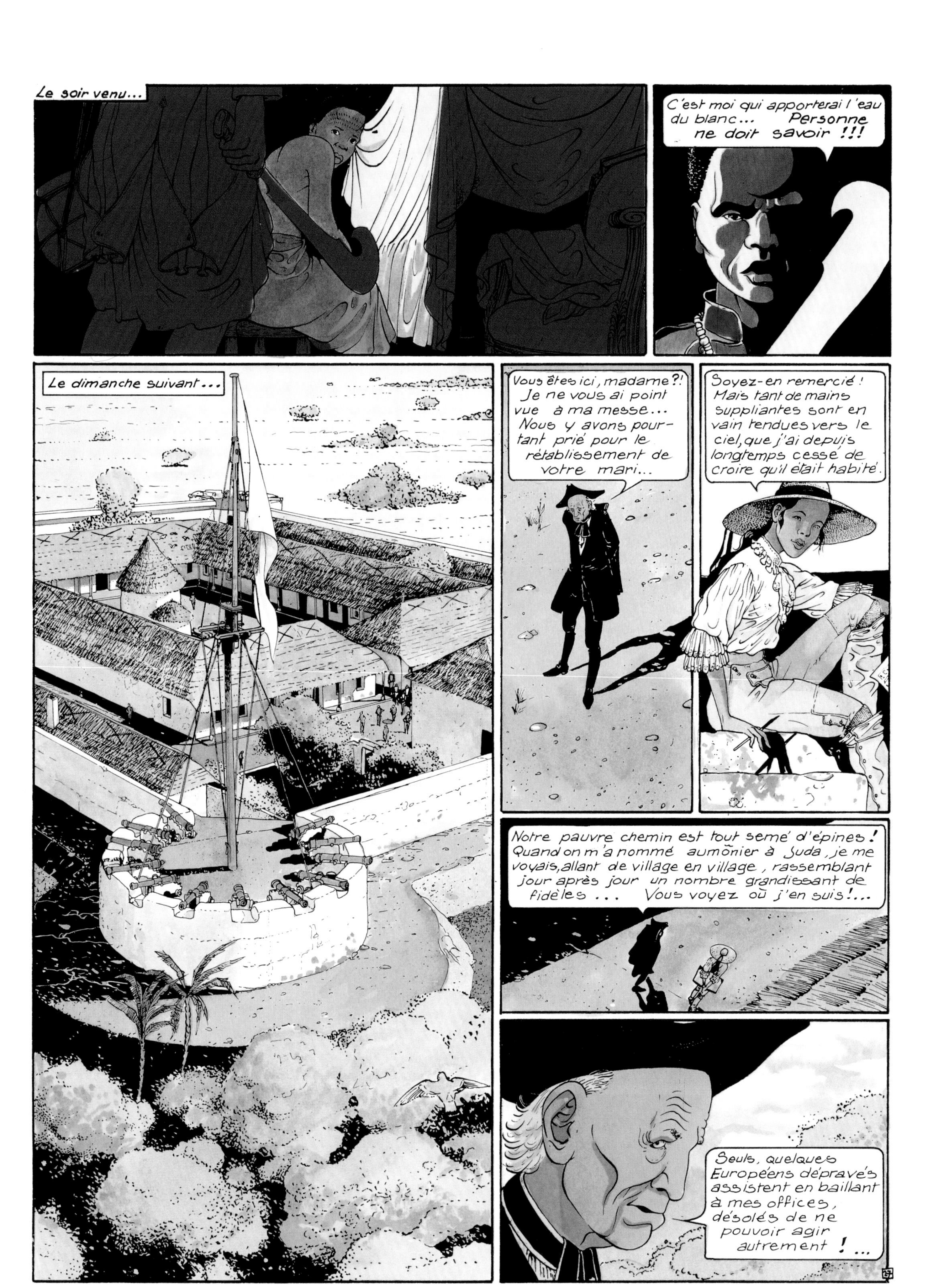
Le soir venu...
C'est moi qui apporterai l'eau du blanc... Personne ne doit savoir !!!
Le dimanche suivant...
Vous êtes ici, madame?! Je ne vous ai point vue à ma messe... Nous y avons pourtant prié pour le rétablissement de votre mari...
Soyez-en remercié ! Mais tant de mains suppliantes sont en vain tendues vers le ciel, que j'ai depuis longtemps cessé de croire qu'il était habité.
Notre pauvre chemin est tout semé d'épines ! Quand on m'a nommé aumônier à Suda, je me voyais, allant de village en village, rassemblant jour après jour un nombre grandissant de fidèles ... Vous voyez où j'en suis !...
Seuls, quelques Européens dépravés assistent en baillant à mes offices, désolés de ne pouvoir agir autrement !...

...Quant aux Noirs, leur religion est bien étrange... Par désœuvrement j'ai tenté de la comprendre. Comme il m'est interdit de dénoncer leurs croyances, les féticheurs de Juda voient plus en moi un confrère à ménager qu'un véritable ennemi. Je suis bien loin de percer tous leurs secrets mais je parviens parfois à endormir leur méfiance... Je... je ne vous ennuie pas ?...
Bien au contraire ! Je suis terriblement curieuse !... Quelle vision le peuple **fon*** a-t-il de l'au-delà ?...
Une vision bien sévère !... Quelques forces primordiales : **Mahou**, la déesse mère - **Lissa**, le dieu-ciel - **Gou**, le dieu du fer - **Dan**, la force de vie - et **Lègba**, la pensée, qui est le pont indispensable entre les dieux, les hommes et les choses... Autour de ces dieux coexistent toute une série de puissances qui présentent chacune plusieurs aspects pas toujours bienveillants : **Les Vaudouns**
Chaque **Vaudoun** a ses prêtres : les **Vodounõ**, qui gardent son "fétiche". Il a aussi ses initiés, ses servantes : les **Vodounsi**...
Il semblerait qu'à la suite d'une retraite fort longue le **vodounsi** soit possédé. Sa personnalité se dédouble, pouvant à volonté se confondre avec celle du dieu. Il en devient l'interprète, le porte-parole. En un mot : ... Il l'incarne !
Est-il vrai que les Dahoméens fassent quelquefois des sacrifices humains ?...
Hélas !... Le sang est le lien sacré entre les hommes et le cosmos. Lui seul permet d'entrer en communication avec les dieux et les ancêtres.
Là où ne voulons voir que barbarie, il y aurait donc un acte religieux comparable à celui qui vous pousse chaque jour à boire le sang du Christ ?...
L'analogie est audacieuse... hum ! Je ne vous suivrai pas sur cette pente sablonneuse.
C'est sur un terrain autrement plus mouvant que vous suivez pourtant une église qui, tout en prêchant l'amour du prochain, n'hésite pas à se faire complice et alliée des marchands d'esclaves !?...

*Fon : Ethnie principale de l'ancien Dahomey.

"Ad majorem Dei gloriam..." Mais ne nous laissons pas distraire !... Sachez ceci : Le respect et la crainte qu'inspirent les Vodounõ viennent en grande part de l'incroyable habileté avec laquelle ils manient toutes sortes de poisons ...

Votre voix change, l'abbé... Vous m'inquiétez !

Je ne voudrais pas accuser sans preuve, mais le mal dont souffre votre mari... Ah ! Je vois bien ! Il me faut tout vous dire ce que je crois savoir...

On m'a rapporté que le nègre **Sognigbé** rendait, depuis peu, anormalement visite à un Vodounõ très redoutable, sans toutefois me préciser lequel...

Le **Sognigbé** en question est un acquérat tout dévoué à monsieur de **Viaroux**...

Lequel **Viaroux**, lassé des amours ancillaires, aurait eu l'impudence de parier fort cher qu'il vous coucherait dans son lit !... Bien sûr, rien ne certifie que ces événements soient liés ...

...Mais rien ne prouve non plus qu'en cédant à **Viaroux** je ne verrais pas **Hoel** guérir miraculeusement ?...

Épargnez-vous cette humiliation, Madame ! À tout poison il faut un antidote et je doute fort qu'une fois son but atteint, le misérable teneur de livres prenne soin de faire négocier le rétablissement de monsieur Tragan.

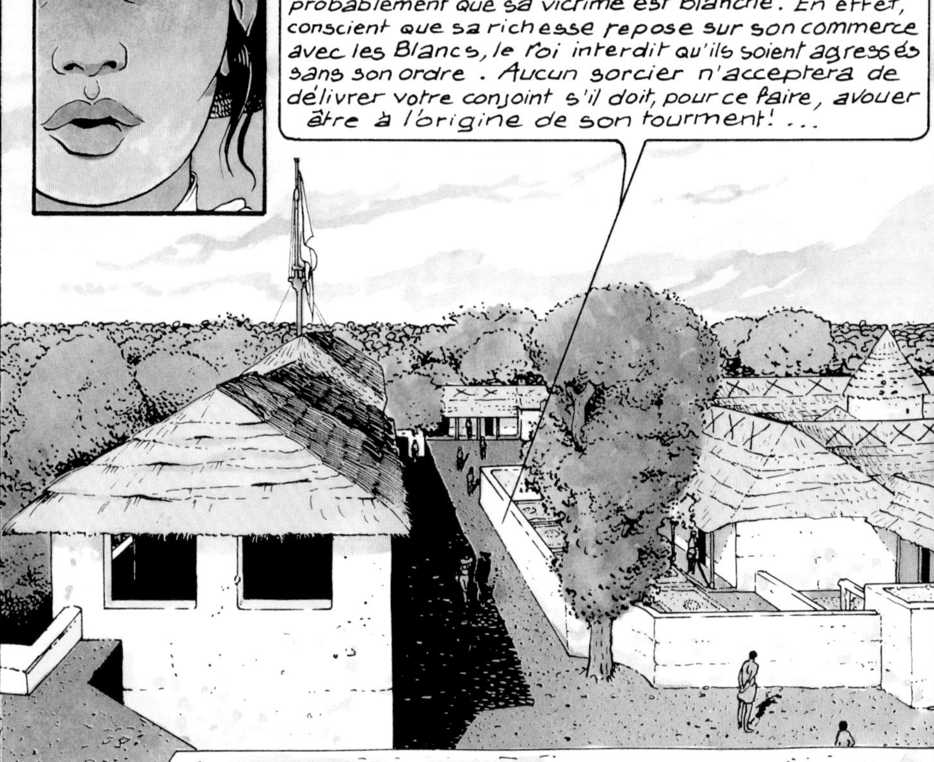
Mais alors ... ?
Il nous faut tout d'abord obtenir des preuves !... Ensuite - et ensuite seulement - nous pourrons chercher l'intermédiaire rusé et courageux capable d'arracher l'antidote au féticheur. Le Vodounõ ignore probablement que sa victime est blanche. En effet, conscient que sa richesse repose sur son commerce avec les Blancs, le roi interdit qu'ils soient agressés sans son ordre. Aucun sorcier n'acceptera de délivrer votre conjoint s'il doit, pour ce faire, avouer être à l'origine de son tourment ! ...
Trouver un allié chez les Noirs ne sera pas chose facile. Les risques qu'il prendra sont certains ! Il va falloir marcher sur des œufs !
Mais ... Hoel a le temps de mourir cent fois !!!
29

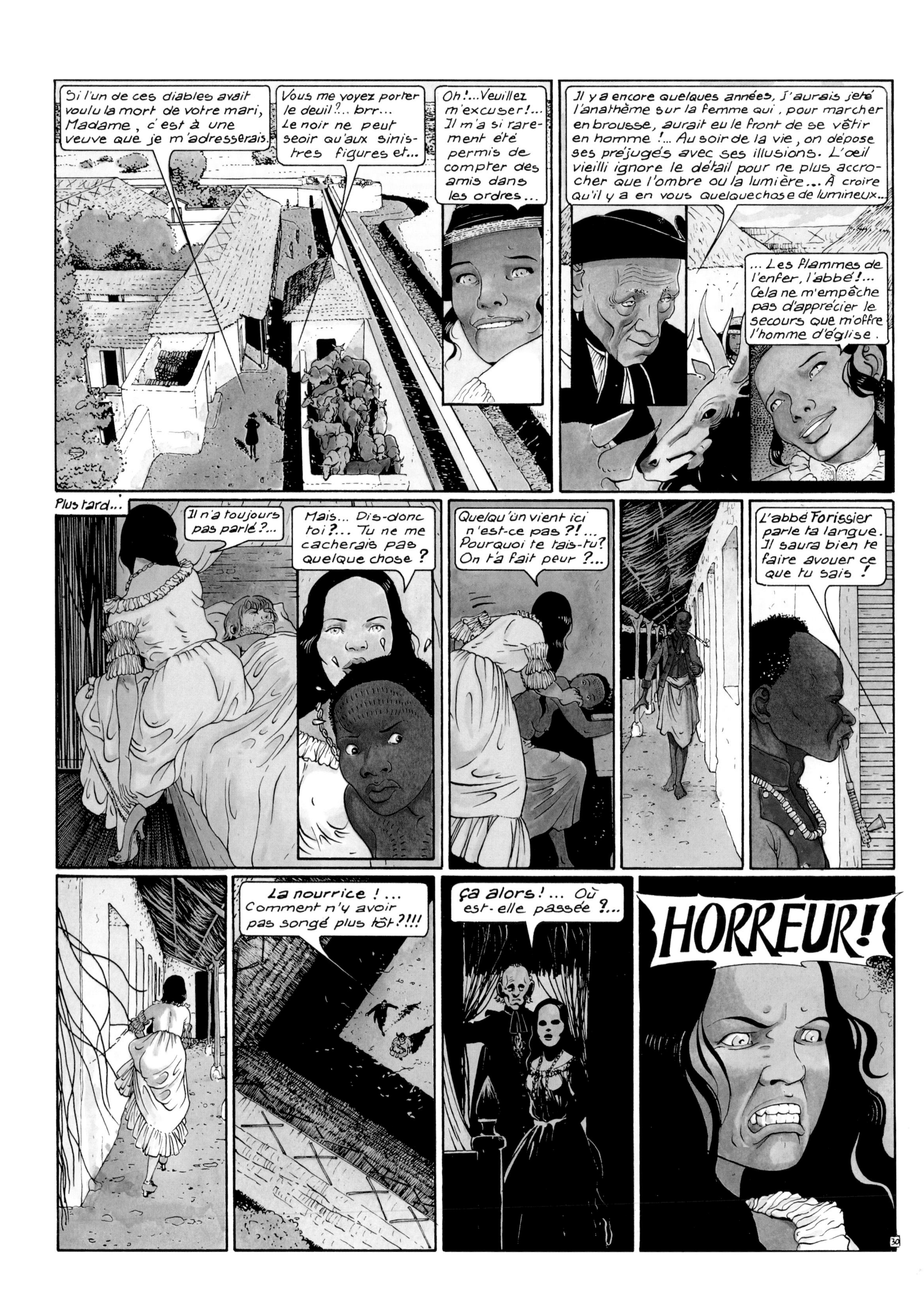
Si l'un de ces diables avait voulu la mort de votre mari, Madame, c'est à une veuve que je m'adresserais.
Vous me voyez porter le deuil?... brr... Le noir ne peut seoir qu'aux sinistres figures et...
Oh!... Veuillez m'excuser!... Il m'a si rarement été permis de compter des amis dans les ordres...
Il y a encore quelques années, j'aurais jeté l'anathème sur la femme qui, pour marcher en brousse, aurait eu le front de se vêtir en homme!... Au soir de la vie, on dépose ses préjugés avec ses illusions. L'œil vieilli ignore le détail pour ne plus accrocher que l'ombre ou la lumière... À croire qu'il y a en vous quelquechose de lumineux...
... Les flammes de l'enfer, l'abbé!... Cela ne m'empêche pas d'apprécier le secours que m'offre l'homme d'église.
Plus tard...
Il n'a toujours pas parlé?...
Mais... Dis-donc toi?... Tu ne me cacherais pas quelque chose?
Quelqu'un vient ici n'est-ce pas?!... Pourquoi te tais-tu? On t'a fait peur?...
L'abbé Forissier parle ta langue. Il saura bien te faire avouer ce que tu sais!
La nourrice!... Comment n'y avoir pas songé plus tôt?!!!
ça alors!... Où est-elle passée?...
HORREUR!
30

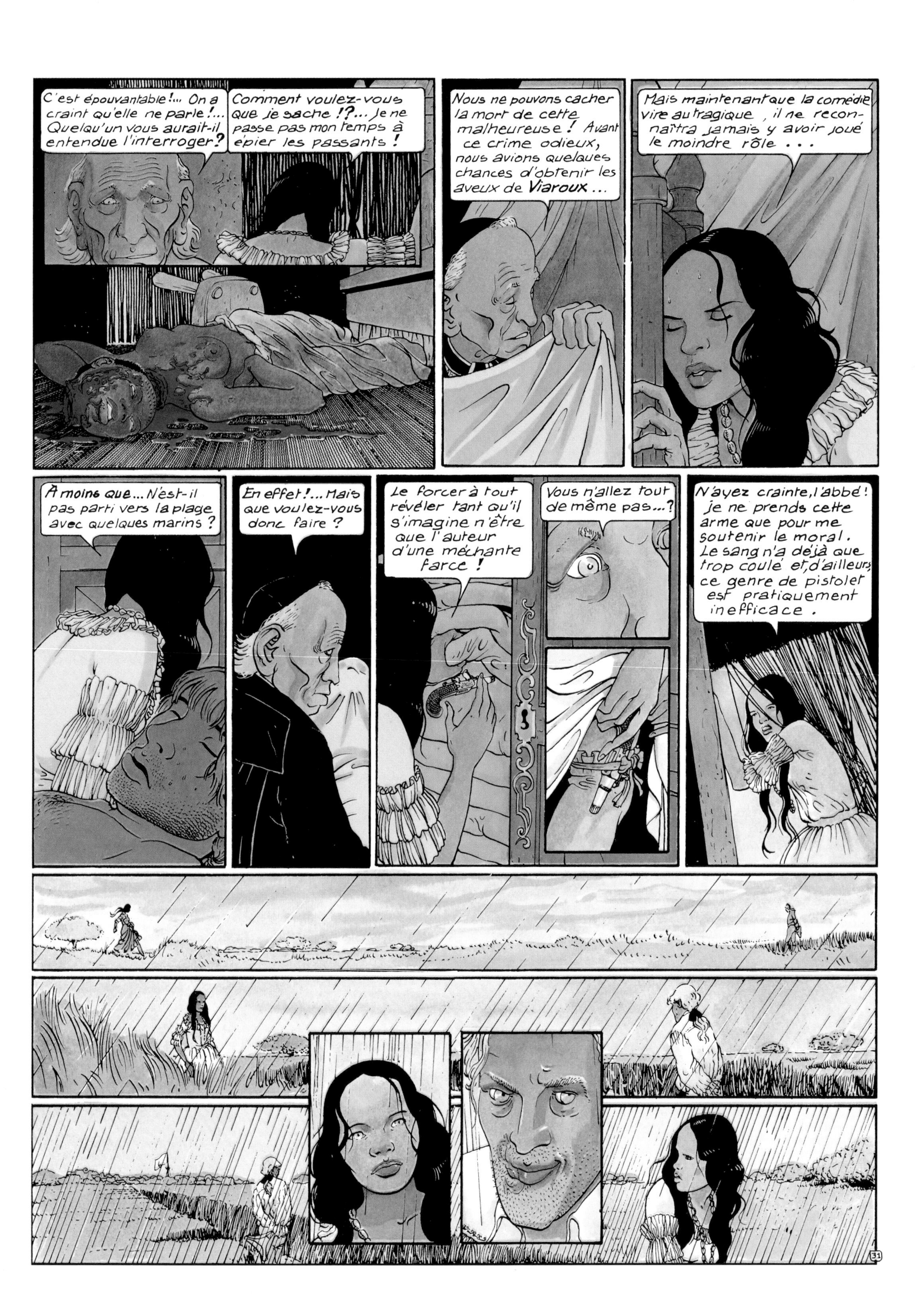
C'est épouvantable !... On a craint qu'elle ne parle !... Quelqu'un vous aurait-il entendue l'interroger ?
Comment voulez-vous que je sache !?... Je ne passe pas mon temps à épier les passants !
Nous ne pouvons cacher la mort de cette malheureuse ! Avant ce crime odieux, nous avions quelques chances d'obtenir les aveux de Viaroux...
Mais maintenant que la comédie vire au tragique, il ne reconnaîtra jamais y avoir joué le moindre rôle...
À moins que... N'est-il pas parti vers la plage avec quelques marins ?
En effet !... Mais que voulez-vous donc faire ?
Le forcer à tout révéler tant qu'il s'imagine n'être que l'auteur d'une méchante farce !
Vous n'allez tout de même pas...?
N'ayez crainte, l'abbé ! je ne prends cette arme que pour me soutenir le moral. Le sang n'a déjà que trop coulé et, d'ailleurs, ce genre de pistolet est pratiquement inefficace.
31

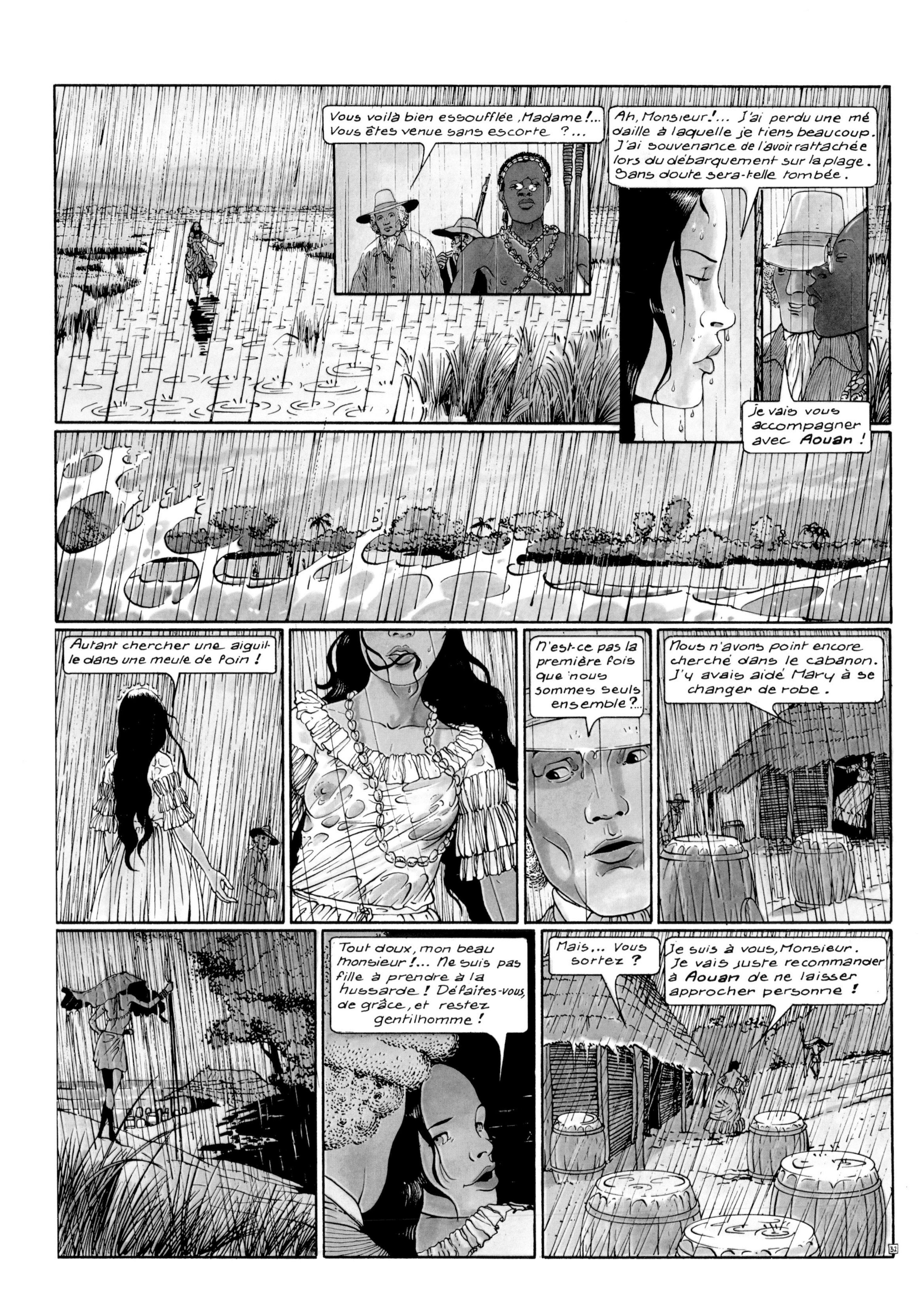
Vous voilà bien essoufflée, Madame !... Vous êtes venue sans escorte ?...
Ah, Monsieur !... J'ai perdu une mé daille à laquelle je tiens beaucoup. J'ai souvenance de l'avoir rattachée lors du débarquement sur la plage. Sans doute sera-t-elle tombée.
Je vais vous accompagner avec Aouan !
Autant chercher une aiguil le dans une meule de foin !
N'est-ce pas la première fois que nous sommes seuls ensemble ?...
Nous n'avons point encore cherché dans le cabanon. J'y avais aidé Mary à se changer de robe.
Tout doux, mon beau monsieur !... Ne suis pas fille à prendre à la hussarde ! Défaites-vous, de grâce, et restez gentilhomme !
Mais... Vous sortez ?
Je suis à vous, Monsieur. Je vais juste recommander à Aouan de ne laisser approcher personne !
32

J'ai accroché ma chemise, Aouan... Peux-tu, en quelques enjambées, courir m'en chercher une autre ?...
Aouan n'obéit pas aux femmes !

Même aux femmes qui font des cadeaux ?

Monsieur Viaroux sera pas content !
Reviens-moi avec une chemise neuve et l'abbé Forissier, tu auras d'autres cauris*

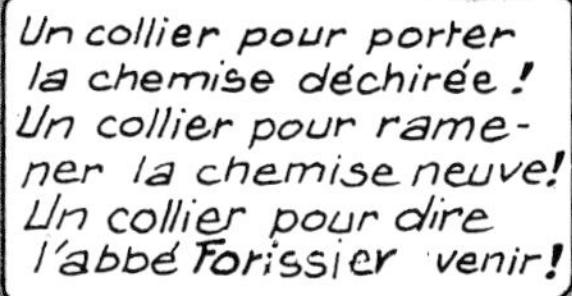
Un collier pour porter la chemise déchirée ! Un collier pour ramener la chemise neuve ! Un collier pour dire l'abbé Forissier venir !

Et tu ne veux pas la petite dame en prime, non ?!... C'est deux colliers et rien de plus !... Et encore ! tu vas me laisser ton parapluie.

Hum !...

Tiens !... Vous êtes encore là vous ?... Rhabillez-vous donc ! Vous êtes ridicule !... Ne voyez-vous point que j'ai changé d'avis ?...

Vous aimez jouer, Madame ! Personne d'autre que vous n'a pu cacher les vêtements qui me manquent !

Est-ce possible ?... Les aurais-je, par mégarde, enveloppés dans la chemise que j'ai chargé Aouan de me porter au camp ?
28

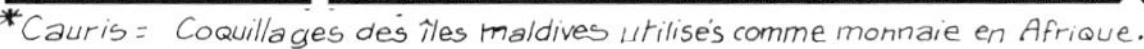
*Cauris : Coquillages des îles Maldives utilisés comme monnaie en Afrique.

C'en est trop! Vous me bafouez, Madame ! Je ne supporterai p...
À quinze pas, vous serez hors de portée !
R...Re...Res... Restons calmes!
Quelques instants plus tard...
Ah, nous avons bien ri !... Si, si ! Ce fut très drôle ! Mais comme nous voici à Caraçon, vous allez devoir me restituer mes effets !
Je me demande si les braves gens du village ont déjà pu observer un grand chef blanc en chemise ?
Voyez où nous mènent vos folies !... Ils sont déchaînés !
Mais que fait donc cet abbé de malheur ?
34

Hé!... Rendez-moi mon pistol... ATTENTION !!!
CLIC
PAN !
Le con!...
MAUDITE! Tu es venue pour tuer !
PAN
Maintenant, Aouan, c'est quatre colliers vouloir, Mam'Isa !
Bougre d'imbécile! Je t'avais demandé de désarmer cet homme ; pas de le tuer !
C'est pas grave Missié... Ça est rien qu'un nèg' !
Partons vite ! Ils sont furieux !
Femmes blanches jamais très belles. Mais là, Mam, ça est encore bien pire !
35

Un peu plus, Isa, et vous perdiez un oeil !
Et la vie !... Aouan vous a sauvée de peu ! Et si je n'avais pas pris d'escorte... Mais que s'est-il passé réellement ? Viaroux n'a fourni que des explications embarrassées et Montaguère, furieux, menace de lui faire payer la somme que le roi ne va pas manquer de réclamer en échange des deux hommes tués à Caraçon... Qui est responsable ?...

Moi, sans doute ! J'ai agi comme une idiote ! Je m'étais réfugiée à Caraçon pour vous y attendre. Dans mon esprit, Viaroux, en chemise, n'aurait pas osé m'y suivre et nous aurions pu lui proposer la guérison d'Hoel en échange de ses vêtements. J'aurais même accepté qu'il puisse prétendre avoir gagné son pari... Hélas! un Noir s'est mortellement blessé en dérobant mon pistolet... Vous connaissez la suite !...

Ça, c'est une vérité, l'abbé ! Maintenant en voici une autre : J'ai dû gagner Caraçon pour ne pas être violentée par Viaroux. L'état vestimentaire dans lequel vous nous avez trouvés indique clairement la brutalité des assauts que j'ai eu à repousser.

Hum! ... Et laquelle de ces deux vérités comptez-vous nous servir officiellement ?

La seconde !... À moins... À moins que Viaroux ne passe aux aveux et nous aide à sauver celui qui se meurt par sa faute !... Proposez-lui donc ce marché, l'abbé !
C'est indigne ! Je ne puis être complice d'un tel chantage !

Préférez-vous être complice d'un meurtre? Si Hoel meurt, Viaroux meurt, l'abbé ! Je vous en fais le serment!

Je vais voir ce que je peux faire... Mais promettez-moi de revenir à de meilleurs sentiments !...

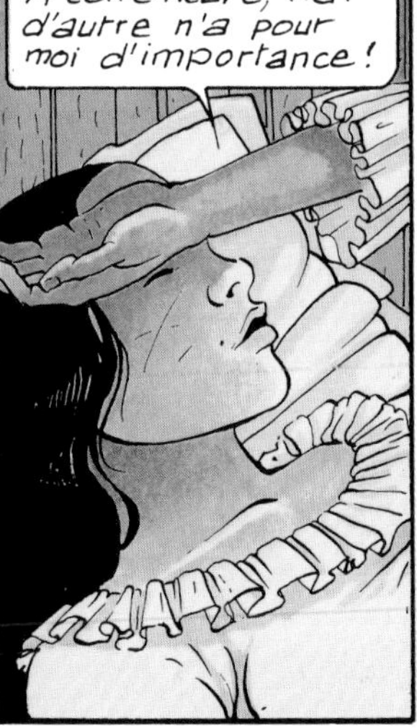

Je viens de faire une promesse et je n'en ferai pas d'autre ! Hoel doit vivre ! À cette heure, rien d'autre n'a pour moi d'importance !

Je vous ai connue moins machiavélique, Isa...
Vous m'avez connue moins désespérée...
36

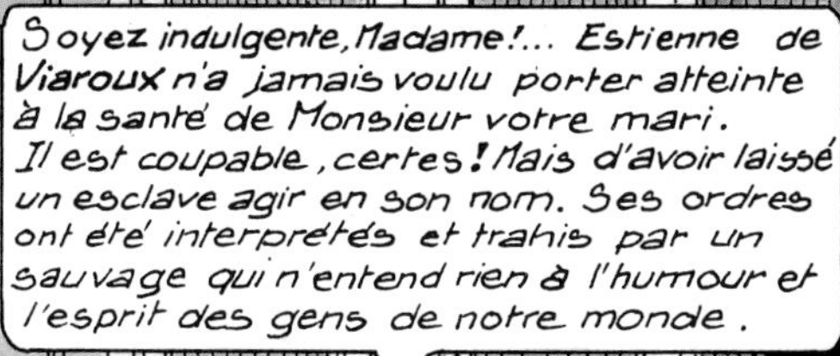
Soyez indulgente, Madame!... Estienne de Viaroux n'a jamais voulu porter atteinte à la santé de Monsieur votre mari. Il est coupable, certes! Mais d'avoir laissé un esclave agir en son nom. Ses ordres ont été interprétés et trahis par un sauvage qui n'entend rien à l'humour et l'esprit des gens de notre monde.

Je vais vous sembler bien béotienne, Monsieur, mais cet humour dont vous faites si grand cas n'a pas l'heur de me séduire. Je n'ai vu, à ce jour, que trois personnes en rire... du rictus des mourants!
Ne vous tracassez pas pour ces nègres, Madame! J'ai, pour votre amie, une nouvelle nourrice. Quant aux guerriers de Caraçon, bien que n'étant pas directement responsable de leur mort, je m'engage à payer la somme qui nous sera réclamée par le roi Kpëngla.

Et à quel prix évaluez-vous la vie de mon mari?!!!

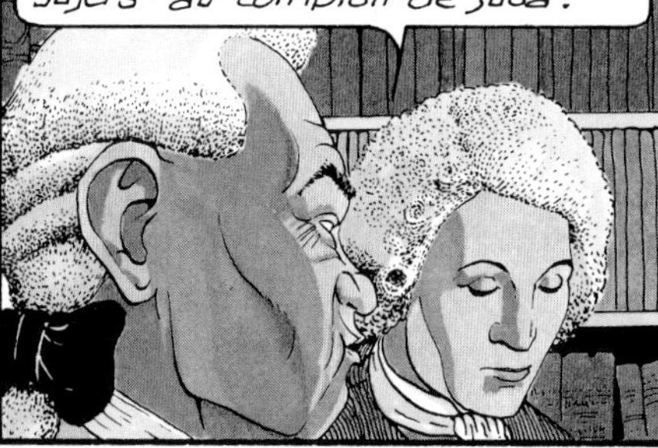
S'il arrivait malheur à monsieur Tragan, c'est devant la justice de France que nous forcerions ce misérable à venir s'expliquer. Le roi serait ainsi informé de la façon dont on traite ses sujets au comptoir de Juda.

De grâce! gardons la tête froide!... A-t-on retrouvé le nègre Sognigbé?...

Si, comme tout le laisse croire, il est l'assassin de la nourrice, nous ne le retrouverons jamais.

Eh bien, bon débarras!... Il ne pourra plus ainsi empoisonner notre ami qui va, n'en doutons pas, recouvrer sa santé!

C'est peu probable!!! Afin de mieux garder les victimes en leur pouvoir, de nombreux Vodounô leur font absorber une dose de poison mortelle dès les premiers jours. Un antidote donné de façon plus ou moins régulière leur permet, par la suite, de faire évoluer à leur gré la santé du malade. C'est de cet antidote que la fuite de Sognigbé nous prive!

Mon cher abbé! Vous êtes merveilleux. Vous en savez plus que quiconque sur tous ces nègres! Vous seul pouvez nous permettre de retrouver Sognigbé!

Promettez-lui l'impunité! Promettez-lui la lune s'il le faut! Mais par Dieu, qu'il obtienne de son sorcier une guérison définitive!
37

En échange de quoi j'exige : Primo, que vous me laissiez évangéliser au moins les acquérats du fort !... Secundo, que ma chapelle cesse de servir de salle d'armes et de salle à manger annexe !... Tertio, que la pharmacie redevienne la sacristie qu'elle n'aurait...
Assez !

Pardonnez-moi, Madame... On apprend à hurler avec les loups !... Je vais tenter l'impossible pour sauver votre mari...

Le soir venu...

Il va crever ! On va tous y passer !

C'est vous qui avez conseillé à Mary de se barricader à mon approche ?...

Mary vous craint ! Vous semblez penser que de lui avoir fait un enfant vous donne un droit de vie et de mort sur elle et tout ce qui la touche... Elle est le vent ! Jamais vous ne pourrez la tenir entre quatre murs. Prenez-la telle qu'elle est ou oubliez-la !

Comme vous en parlez bien ! Je me suis souvent demandé s'il fallait vous coucher au rang de ses amis, ou à celui de ses amants ? Ha ! ha ! Je ne vous fais pas peur, au moins ?!
Nous fûmes amis, John... À défaut d'autre chose, respectez les souvenirs...

Les souvenirs n'empêchent pas de crever ! Je suis rongé par les fièvres et l'alcool, mais vous aussi vous êtes foutus !... La Navy mène une chasse impitoyable à tout ce qui est français ! Vous allez encore vous retrouver prisonniers à peine levée l'ancre !...

Nous naviguerons sous pavillon neutre. Celui d'Ostende par exemple.

Peu m'importe !... Ce n'est pas de cela que je suis venu vous entretenir... Je suis condamné, Isa ! Je n'ai plus goût à rien... Je suis un danger pour les autres et n'ai pas le courage d'en finir avec moi-même. Vous seule pouvez m'aider... Vous n'aurez qu'à plaider la légitime défense...
38

Ne soyez pas stupide, John !... Je suis sûre que vous pouvez guérir, je...

John !... Revenez John !

Laisse-le, Mamisa ! Personne ne peut plus rien pour lui !

Aouan avait rangé les yeux-qui-savent-lire dans la boite pour pouvoir mieux tirer si le Blanc fou avait voulu te faire mal !
Mais... Mais qui t'a demandé de me surveiller, toi ?... Montaguère ?...

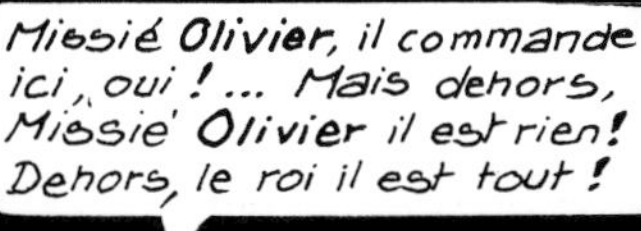
Missié Olivier, il commande ici, oui !... Mais dehors, Missié Olivier il est rien! Dehors, le roi il est tout !

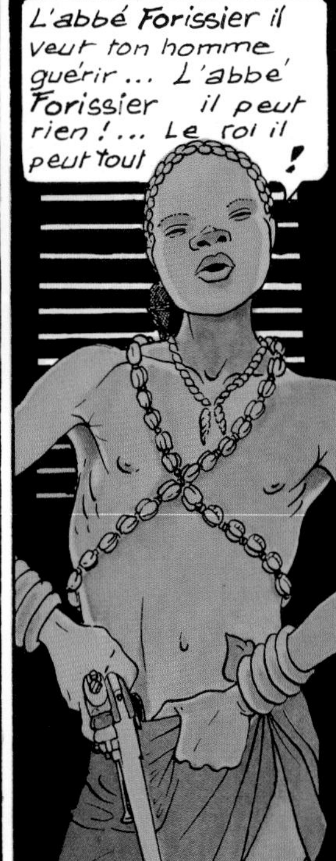
L'abbé Forissier il veut ton homme guérir... L'abbé Forissier il peut rien !... Le roi il peut tout !

Les Blancs parlent en secret, mais, la nuit, le tam-tam raconte ! Tout le monde sait pourquoi ton homme malade. Roi pas content ! Tu fous bordel chez les Blancs ! Tu fous bordel Caraçon !... Mais roi pas tout savoir !

Cette nuit tam-tam dire à tout le monde : C'est pas Mamisa, c'est Viaroux fout bordel avec ce chien de Sognigbé . Bientôt roi savoir et roi décider !
Décider quoi, Aouan ?

Roi décider, c'est tout !... Toi rien dire à personne, Mamisa, C'est grand danger parler ! Écoute ça plutôt...

...Un jour un nèg' y trouve un crâne su' le sable. Il dit : "Eh ! crâne ! Qui t'a conduit ici ?" "La parole !" qu'il dit le crâne. Le nèg' y prend le crâne et il l'apporte au roi : "Regarde, roi ! Ce crâne il parle !" Le roi dit : "Si c'est vrai tu es riche. Mais si tu mens , tu meurs !" Alors le nèg' y dit : "Eh crâne ! qui t'a conduit ici ?" Mais le crâne il dit rien... Alors le roi colère fait couper la tête du nèg' et s'en va...

Quand il sont à nouveau seuls su' le sable, le crâne regarde la tête coupée, il se marre et demande. "Eh ! crâne ! qui t'a conduit ici ?" Et le nèg' y répond : "La parole !"
39

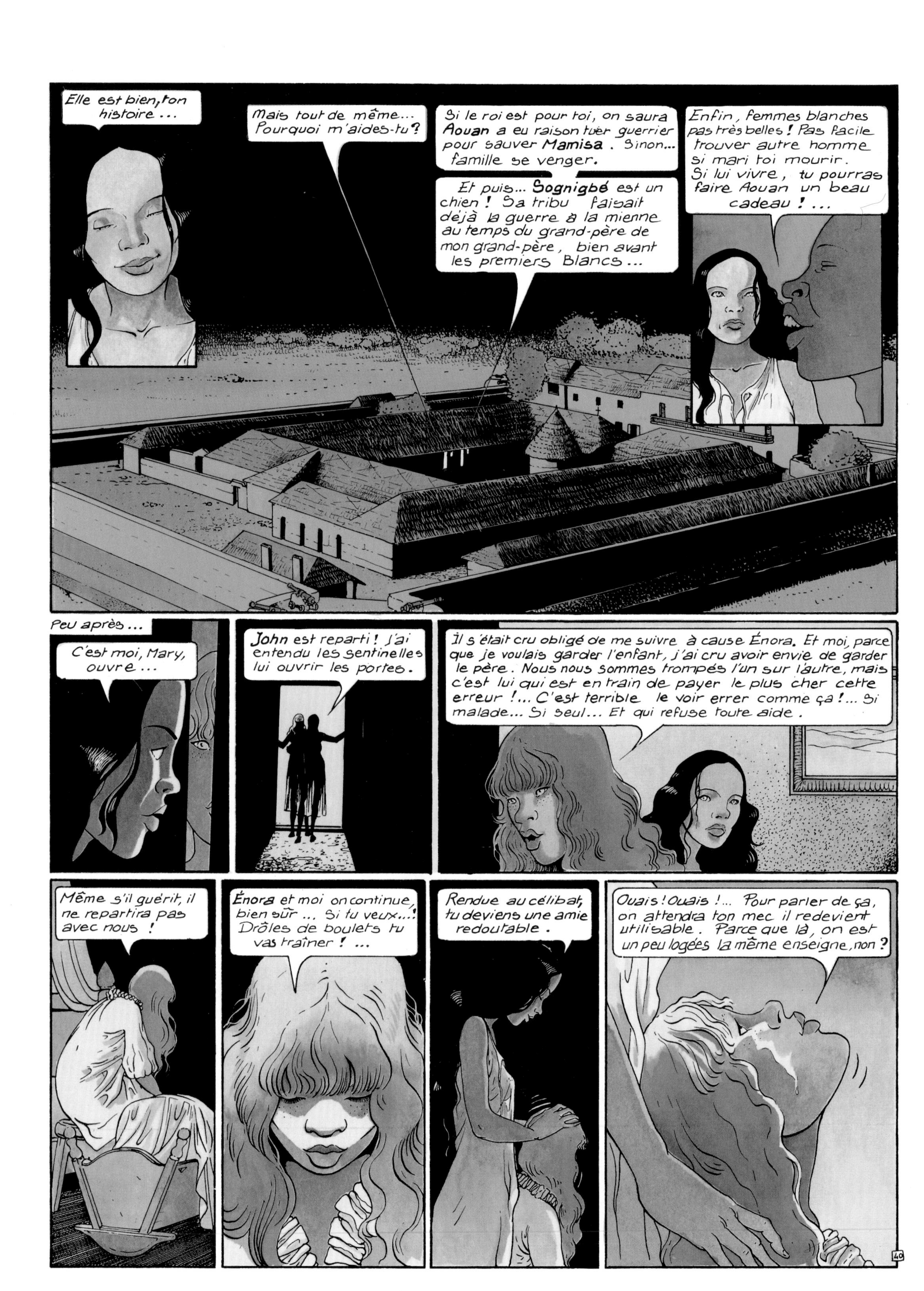
Elle est bien, ton histoire ...
Mais tout de même... Pourquoi m'aides-tu?
Si le roi est pour toi, on saura Aouan a eu raison tuer guerrier pour sauver Mamisa. Sinon... famille se venger.
Et puis... Sognigbé est un chien! Sa tribu faisait déjà la guerre à la mienne au temps du grand-père de mon grand-père, bien avant les premiers Blancs...
Enfin, femmes blanches pas très belles! Pas facile trouver autre homme si mari toi mourir. Si lui vivre, tu pourras faire Aouan un beau cadeau! ...
Peu après...
C'est moi, Mary, ouvre...
John est reparti! J'ai entendu les sentinelles lui ouvrir les portes.
Il s'était cru obligé de me suivre à cause Énora. Et moi, parce que je voulais garder l'enfant, j'ai cru avoir envie de garder le père. Nous nous sommes trompés l'un sur l'autre, mais c'est lui qui est en train de payer le plus cher cette erreur!... C'est terrible le voir errer comme ça!... Si malade... Si seul... Et qui refuse toute aide.
Même s'il guérit, il ne repartira pas avec nous!
Énora et moi on continue, bien sûr... Si tu veux...! Drôles de boulets tu vas traîner! ...
Rendue au célibat, tu deviens une amie redoutable.
Ouais! Ouais!... Pour parler de ça, on attendra ton mec il redevient utilisable. Parce que là, on est un peu logées la même enseigne, non?
40

Yovo aouignan*, c'est beaucoup chance avoir ! Beaucoup esclaves; Un seul bateau... Nèg' pas chers quand Blancs sont dans la guerre.
J'ai trop peur de John, Isa. Ton Aouan, là... il pourrait pas monter la garde devant mon chambre ?...
Aouan et moi avons conclu un marché ! J'ai obtenu qu'on le mette à mon service, ce n'est pas pour te laisser me l'épuiser en deux nuits !... D'ailleurs, il n'aime pas les Blanches.
Ça pas vrai, Mamisa ! Dames blanches pas très belles mais comme beaucoup cadeaux, Aouan bien aimer !
Je ne sais pas si tu as raison pour quoi tu dis des Noirs, Isa, mais avoue au moins qu'ils manquent totalement et de tact et de goût !
Tiens !... Viens voir cet olibrius qui fait le course tout seul avec son hache. Tu vas pas me dire il est normal, non ?!...
Lui pas librius, Mamary. Lui porte-bâton, messager. Lui tenir récade du roi Kpëngla, alors, dans sa bouche il y a paroles du roi Kpëngla.*
Espérons qu'il est moins mufle et dictionne le français un peu plus correctivement que toi !
PSST !
41

*Yovo aouignan : Surnom de Boisbœuf _ Kpëngla : Roi du Dahomey de 1775 à 1789.

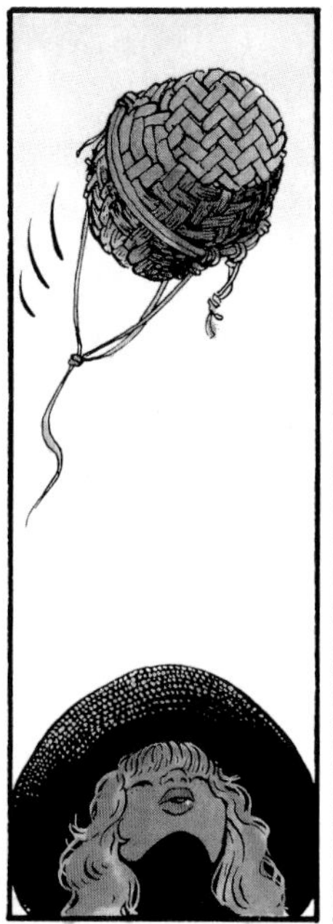

?
C'est à vous, cette corbeille ?
Elle nous était destinée, en effet !... Pouvez-vous nous la monter?

Tenez **Mary** !... Je voulais vous voir, **Isa** ! Nous venons de recevoir la visite d'un messager du roi.

Ouais, ouais !... C'est l'espèce de pitre marathonique quoi nous avons vu !

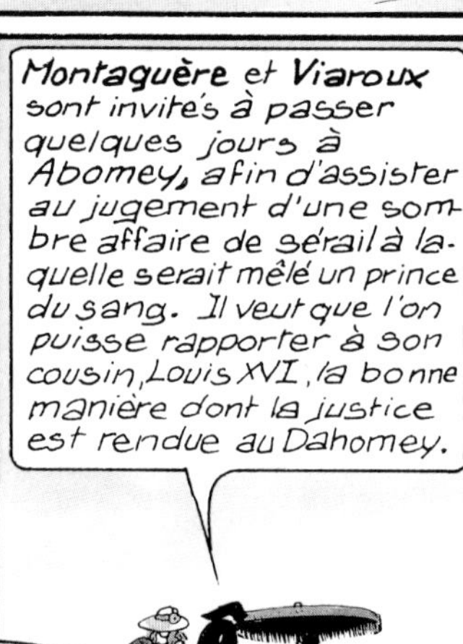
Montaguère et **Viaroux** sont invités à passer quelques jours à **Abomey**, afin d'assister au jugement d'une sombre affaire de sérail à laquelle serait mêlé un prince du sang. Il veut que l'on puisse rapporter à son cousin, Louis XVI, la bonne manière dont la justice est rendue au Dahomey.

En réalité, **Kpëngla** ne nous fait jamais manquer une exécution. Nous sommes ainsi informés du sort qu'il nous réserve, s'il nous prenait l'envie de changer d'alliance.

Le roi a dit aussi qu'il voulait voir la femme blanche qui avait causé la mort de deux hommes au camp de Caraçon.

Mais c'est impossible ! Je ne peux pas laisser **Hoel** seul en ce moment!

Ce qui est impossible c'est de refuser une invitation du roi !... N'ayez crainte ! Le voyage n'est guère long et **Mary** et moi saurons fort bien prendre soin de votre époux.

Je suis sûre ce sont des fruits !... Vous en voulez ?

42

BOM
Vous avez de la chance, Mary ! Vous auriez pu vous rompre le cou ! ...
Oh my, oh my... What happened ?...
Tu es tombée du haut du rempart alors que nous discutions... Tu as glissé?
J'ai glissé dans les pommes, ouais !... C'est à cause Sognigbé...
Quoi ?!
Là-haut...
Que faut-il penser de toute cette histoire, Sophie ?...
Toi pas penser, c'est mieux !... C'est grande folie de choisir sa route avant de savoir de quel côté va la tempête...
...Blancs trop curieux, Mamisa ! Toi plus poser questions... Toi attendre.
43

AHH
PAN
PAN
PAN
PAN
PAN
BOUM

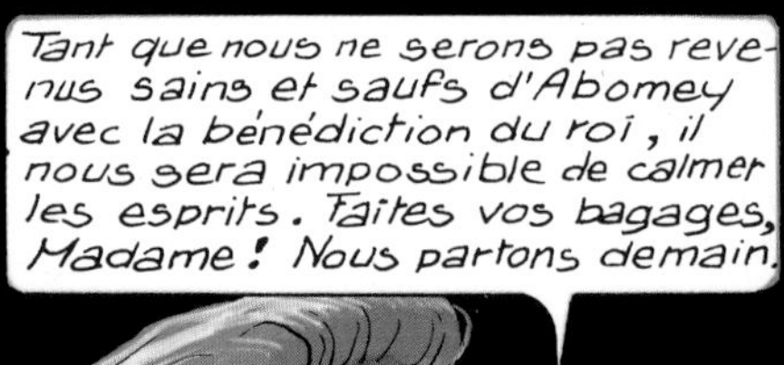
CESSEZ LE FEU

Que s'est-il passé ?
Ce que je redoutais le plus, Madame ! Cette joyeuse canonnade salue l'arrivée d'un hôte de marque au fort : La peur !

Vous voulez dire que c'est cette malheureuse Dame Blanche* qui a tout déclenché ?..
Celle-là, oui !... et une autre !

Tant que nous ne serons pas revenus sains et saufs d'Abomey avec la bénédiction du roi, il nous sera impossible de calmer les esprits. Faites vos bagages, Madame ! Nous partons demain.

*Dame Blanche = Un des surnoms de la chouette effraie.

Et c'est ainsi qu'au point du jour ...

45

Le vendredi 3 août 1781, aux derniers jours du Fô, la petite caravane s'ébranle avec une faible escorte et beaucoup de porteurs. Isa est, à notre connaissance, la première femme blanche à avoir pris la route d'Abomey et pénétré ainsi au coeur du fascinant royaume.
De ce voyage, elle nous a laissé plusieurs cahiers de notes difficiles à déchiffrer, lavés par la sueur et brûlés par le soleil. Certains feuillets manquent. D'autres, rongés par le temps, sont devenus illisibles.
Il nous faudra beaucoup de temps et de patience avant de réussir à reconstituer la suite de ce récit et nous apprendrons, en même temps que vous, comment Isa revint de cette expédition...
...si toutefois elle en revint !
La suite de cet épisode:
"L'HEURE DU SERPENT"
FRANÇOIS BOURGEON. 13.3.81